CB074683

Gabriela Soutello

# NINGUÉM VAI LEMBRAR DE MIM

São Paulo
2019

FERINA

ESTAR SÓ É MEU MAIOR MEDO
E MINHA MAIOR VERDADE ............................ 11

O SEXO ENTRE DUAS MULHERES
NÃO É ASSIM TÃO SIMPLES;
É ASSIM: ................................................ 33

EU COSTUMAVA ASSOCIAR AOS FINS
A DECADÊNCIA DA FALHA ............................ 69

epílogo
O QUE HÁ DE PIOR EM ME
MOSTRAR ENQUANTO EU.............................. 91

ou: epílogo
EU NUNCA VI A CARA DE DEUS,
MAS NÃO ESTRANHO................................... 97

AGRADECIMENTOS......................................101

às que não aceitaram amar
no molde e às que
se relacionam nas beiras

às ausentes de referências

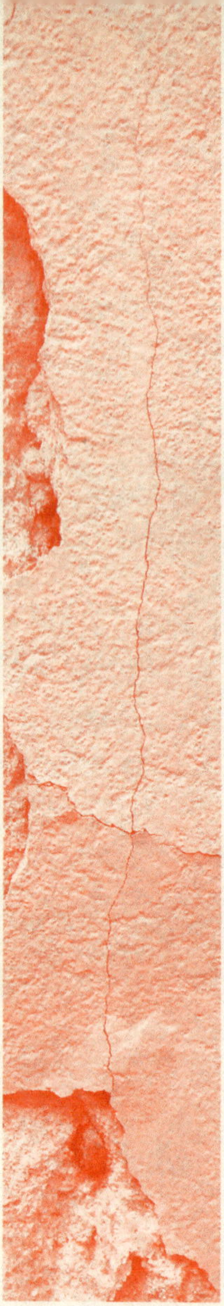

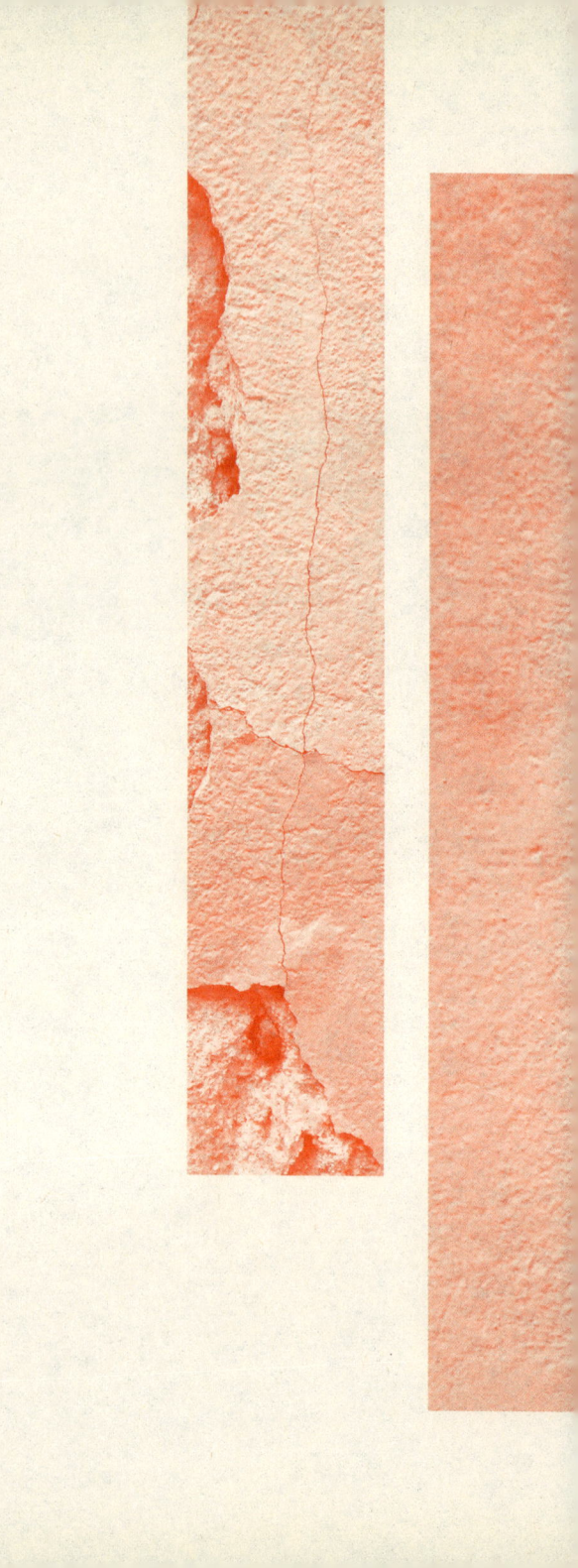

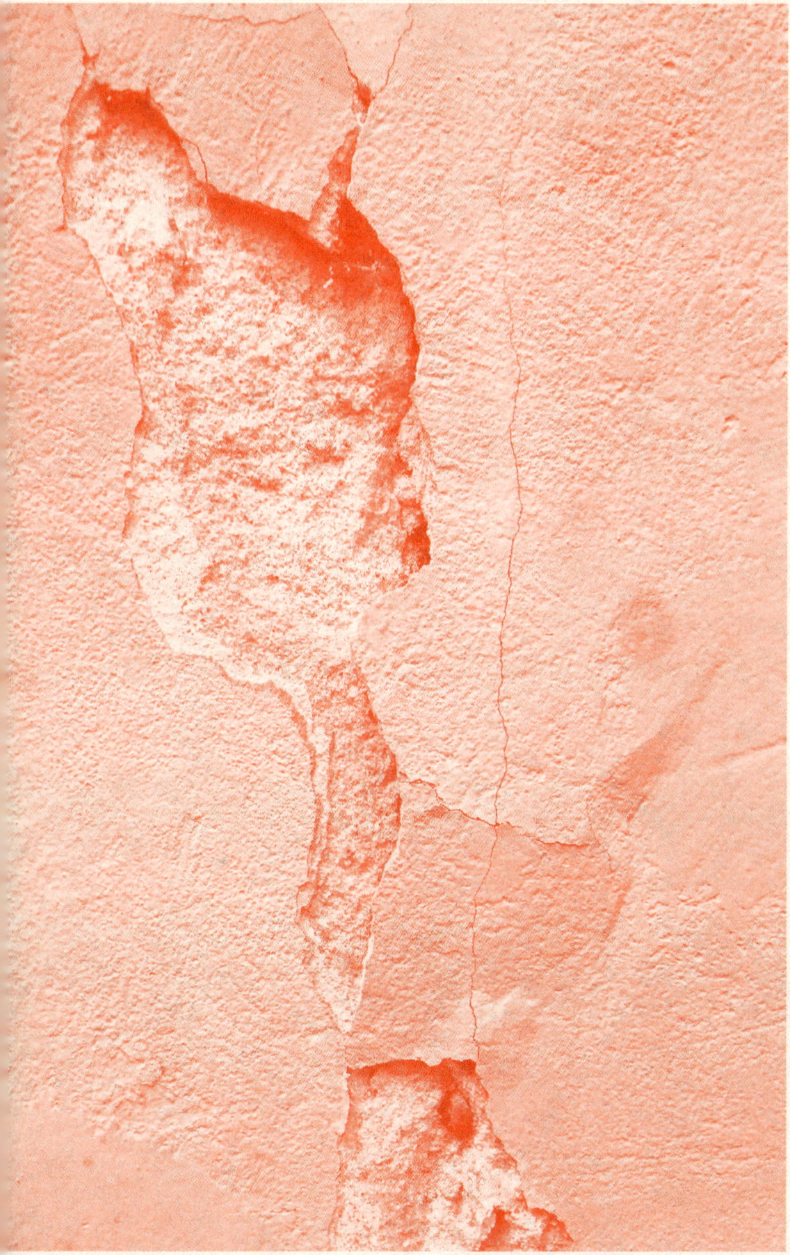

ESTAR SÓ
É MEU MAIOR MEDO
E MINHA
MAIOR VERDADE

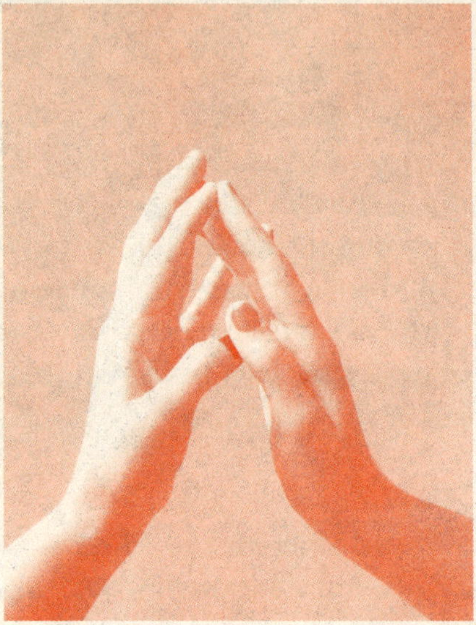

**É** sempre após os dias vinte do mês e é sempre entre julho e agosto. Paixão é uma palavra tão assim, marcada, você não acha? Por isso falo, falamos, mas tentamos outras sílabas e outros gestos tantos, ausência de vírgula, pausa entre um dedo que encosta em outro dedo e um olho que vê o outro olho fugir, assim, segundos sem tempo exato; assim, otimizadas nossas presenças em estado de ali; falo e falamos e buscamos tantos vocabulários e, olha que a gente tem, sim, muitos aqui guardados, uns até prontos para-quando-for-necessário, mas é tudo tese, é tudo tratado: no momento em que uma mão estranha toca outra pele que não é casa, o calor é menos denso, é um tanto errático, é mais suor; você entende? Falo e falamos e calamos na intenção de criar novos meios de afeto. E há tantas formas, nos corpos, e nas línguas e nos desvios dos dentes e dos troncos, e das vertigens nas lombares e há ainda as cólicas; há tantas linguagens que nos permitem e nos induzem a sermos afetadas.

Há nas nomenclaturas uma definição, um alívio bonito e um cisco incômodo de medo. Preciso muito me aquietar entre árvores e talvez cães, e areias outras, talvez Montevidéu, talvez Manaus, e cafés da manhã como cúmplices e um mar todo inteiro e também pedras e rochas quentes e cadernos sem pauta e solidão. Preciso porque, sabemos: criamos as realidades todas no dentro. E há momentos em que o coágulo volta a ser eclosão. Sabe, eu sempre temi a solidão com um apreço inominável. Diferente do mar, que sempre me foi fascínio. Mas há no mar um tanto de acúmulo (como há nas manhãs de hoje um tanto de ansiedade e um tanto de descoberta) e também um tanto de nada. Eu não temo naufragar. Eu temo o caminho que me navega até o lá, em desequilíbrio.

O meu ano foi sempre iniciado em julho. Mas eu nunca me lembro, e ano a ano são as minhas pernas arrastadas sem controle por agosto. Um mês sem descanso. E uma intensidade do tamanho que um galho de árvore tem para a formiga que começa a escalar. Os caminhos do mato também me encantam, e por isso também me assustam. Eu dormiria todas as noites de agosto no mato, bem no centro de uma trilha pouco visitada, cercada por bichos que não me acessam fácil como me acessam os olhos de alguém. Mostro e mostramos máscaras, violentas e lívidas, adentráveis. A minha pele em atrito é também mar, é também mato. Preciso muito de um espaço-tempo criado. Preciso, para só então assim existir adiante, fincar nas unhas a solidão.

# SOBRAS ÓSSEAS DE MARÇO

Acordar sozinha. Programar o despertador para mais vezes despertar: sozinha. O corpo como monte, como morto, peso imóvel sobre a cama, o rosto sedento por permanecer sobre a seda da fronha, dentro o algodão quente, soterrado, como cúpula assegurando as dobras da bochecha. As pernas em cruz, abençoadas por outro travesseiro. A existência que pesa (mas, lembra, há o sol na vidraça) e o dia que chega (mas, lembra, há a fresta) e a falta que é dela (mas, lembra, há o vento) e o medo do não (mas, lembra, há os cílios, sim) e a fome do novo (mas, lembra, há a casa) e o lago do mesmo (mas, lembra: o tamanho do mundo).

Há doze dias me desperta a mesma manhã quente, que é assim tão quente porque é verão, e desde que não acaba o verão chegou março como marca — que é de bicho, mosquito, corpo, sexo, lata de tinta, máquina de depilar, escorregão no molhado, poros abertos, pelos em riste, facão. Março deságua e eu temo todos os dias a minha imagem no espelho às oito da manhã. Um dia inteiro, um tira-e-põe de máscaras, tem gesso e tem argila, olha, essa é de osso, o que eu faço com o meu rosto, senhora, me ajuda, eu, eu queria um emprego;, eu, eu queria estar sóbria, eu, eu não posso conversar agora, eu, eu não posso me expor assim, eu, eu tenho muita raiva dentro de mim, eu, eu não assino tratados, sabe, eu, eu entendo de marketing, de mídias, eu, eu estou disposta a vender a sua marca, eu, eu não me importo de te enriquecer, eu, eu moro junto, eu, sim, eu sou sapatão, eu, não, hoje em dia já é mais fácil, eu, gostaria muito de escrever pra vocês, eu, não, eu não quero levantar hoje, eu, procuro os ossos, a máscara de ossos, eu, sim, para o rosto, bonita só de rosto, eu já ouvi, sim, eu, o que eu faço com o meu rosto, hoje, senhora?

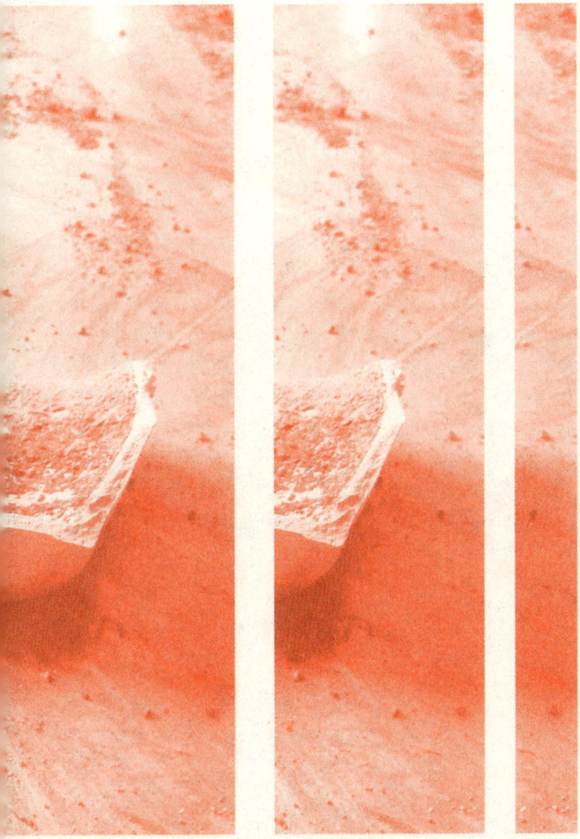

# NOTAS SOBRE O VAZIO

# I

Há três meios imediatistas sobre os quais me debruço para sentir as costelas estalarem. Uma cura temporária em três atos. Choro, me masturbo, rabisco um papel. Assim até extirpar o incômodo, assim pouco, assim doses, assim prazer imediato, grito abafado, assim grafite que borra no dedo, rosto febril, sangue ritmado, gota lágrima água, fusão com o fogo e com a terra, o ar celebrando uma enchente-incêndio que cobre todo o torso interno, ereto, até o músculo latejar. Consigo sentir nada, nada, um nada todo inteiro-meu, após alongar a vértebra da dor.

# II

O meu olho chora quente a minha individualidade. Roga pelo que me há de único no ventre. Percepções doentias, segredos que escondo de mim — até o momento em que se rasgam, cíclicos, destilando o suor de uma construção fragmentada. Se escancaram no hoje de uma vez por mês. É quando me perco nos vácuos entre as veias e as peles. Não sei, toda vez, se são minhas.

# III

Estou sempre só. Com medos sós. Com saudades sós. Com ambições e invejas sós. Com um ego extremamente serpente e extremamente só. Meu reflexo eu vejo no espelho da retina de um outro, que me rege. A solidão e o abandono: minhas companhias mais rentes. Junto aos ossos, as carrego; são cartilagem. Do olho desse outro que me conduz escorre um mesmo plasma solitário. Ele me observa nos dentros sem me alcançar. Peço quase imploro para que esse tubo fundo sem fim, essa alma aquosa que chora um mesmo buraco, me permita um acolhimento-rumo. Mas o seu íntimo, o reto que, como eu, tenta traçar, é (assim como é a minha solidão) inalcançável.

# UMA INVERDADE

Quanto mais só eu me sinto, mais me grudo à solidão. Quero permanecer às raízes de suas terras. Como um apego. Um torpor um tanto novidade, essa necessidade; não quero deixá-la. Passo invisível pelas texturas dos caminhos. Quanto menos existente, melhor. O pior de mim, a solidão: angústia-peito, ritmo acelerado da respiração; lágrima clara sobre a pele também clara e a tristeza senhora no buraco do vazio cavado à mão. Neste quarto escuro não tem janela e a sala é branca e sem portas; o céu tapado a cimento e uma floresta de noites crescidas. Minha antimorfina é essa claustrofobia.

Eu não tenho pra onde correr. Sou só: pó de lua que desacendeu. Meus pés: resto intacto de rachaduras. Minha tessitura óssea: textura frouxa de nervos e hormônios em sobressalto; álcool e carência e o medo e o apego à solidão.

"Ninguém vai lembrar de mim", eu penso às manhãs, e é logo de manhã quando estanca o despertador e dançam os cílios e iluminam as pupilas quando me vêm à cabeça as pedras. Dos pés até a cabeça, as pedras, rochas duras fincadas nas rachaduras — as pedras — nos pés e também na cabeça, nas dobras e nas falhas, e elas me dizem, coral de pedras, me gritam, em céu e chão: "ninguém vai lembrar de mim", e eu permaneço; eu não quero mudar.

# VALE DE LA LUNA
## terceira parte, de três

Desci às montanhas em três horas de viagem. Nunca existiu solução que contivesse a existência da minha ataraxia. É bonita, essa palavra, e, pra mim, anterior e oposta ao seu real significado, ela soa como uma palpitação. Talvez como seria um temor ansioso e empolgado diante das aranhas: a-ta-ra-xi-a. Foi Agá quem me ensinou (ela quem, carregando nas unhas a precariedade, me beijou e me fez duvidar, certa vez, em história outra para outro tempo), a profilaxia da palavra. Em seu sentido linguisticamente proprietário, ela significa nada mais que uma idealização. Explico: na filosofia de homens bem resolvidos, é a ausência de preocupação; a indiferença ao caos. Como se fossem ruídos insossos nossos monstros. Cresci sendo objeto-válvula de teste da psicologia de minha mãe — e, portanto, por natureza interessada nas explicações infindas e insuportáveis sobre os sentimentos. Aos dezesseis, acreditava ser ela — Gestalt e O *Segredo* em mente — a imperatriz dos meus nãos, minha mãe: impedimento e prisão, a responsável pela ausência da minha ataraxia — e aos dezesseis era muito improvável que eu conhecesse essa palavra. Aos dezenove, busquei *ataracsar-me* no colo de três pessoas (talvez, assim, ela-palavra pudesse adentrar-me sem mais demoras), mas persistiu o incômodo do em-vão: falhei. E nos anos seguintes, falhei melhor porque a busca se repetiu em padrão, e por um número maior de corpos com copos nas mãos. Frente às montanhas por três horas se torna toda a vida juventude, e eu relembro críticas tantas que absorvi por ter nas bolsas abaixo dos olhos menos marcas e, acima do pelos, menos olhos. Aos vinte e dois procurei oráculos superiores; sempre mulheres, sempre sabidas de algum algo certo. Maria, que era onze anos mais velha que eu, conhecia de todas as escondências da Europa, as raridades além-comum dos pratos estrelados – que, inclusive, havia aprendido a cozinhar em cursos franceses (estou certa de que ela jamais me imaginaria sozinha a três quilômetros de uma montanha), interiorizava tudo que sabia sobre decoração em tons pastel e montava no braço a própria cabeceira de cama (eu também não imaginaria que ela iria sozinha para a Itália, e acabei de descobrir que ataraxia é também nome de uma banda de neofolk italiana e isso é certamente algo que ela já saberia desde o início do texto, caso viesse um dia a lê-lo). Ela chegou a quase se vender no youtube, quando as redes eram ainda nada – sempre precursora, ela mesma se assumia, mas dentro um vazio inconsistente que a estagnava: nada. Maria nada me ensinou sobre ataraxia, apesar dos *cabernet sauvignon* y dos *carménères*, dos *chantillys handmade* y das *tinkerbells del absinthe* (e eu também não saberia dizer se ela está mesmo na Itália, e menos se está mesmo sozinha). Aos vinte e cinco um velho profeta

com quem ainda hoje troco versos, de nome real Evandro e de literatura perpendicular, me disse (era época de política, o retrógrado em ascensão): "o que é ruim pra vida é bom pra literatura"; e me faltou fôlego ao pensar nela, mais uma vez, a palavra-rasgo, o intuito certo da vida estável, a busca do dia sadio por todos os dias. As mentiras de Evandro já se bastam na escrita, e eu acreditei como acredito em toda noite pós dia extenso pós covardia pós mexeção intensa de nadas, que não há possibilidade de estar anestesiada enquanto corre no músculo a vontade amedrontada de existir. Eu entrei às três da tarde no diante das montanhas e do mato (e de três em três meses no *front age* de rostos mais enrugados) e nada me ocorre mais verdade do que a existência permanente, em escalas e em espaços, do conflito como norte e da dor como sorte pra quem os encara. Não há vento de mar ou cheiro de chuva ou rajada de terra no entre dos dedos ou copo de uísque, gelo no ponto, garrafa pela metade, o jazz de Norah Jones ou o nervo presente da Letrux, não há *entrecôte démodê* ou os cachorros e os pássaros e as espécies que a gente não vê em São Paulo, não há o barro assim explícito e nem o luxo assim feiqueado, nada, nada: no abismo da metamorfose há sempre e somente a certeza do instável; nossas tensões contritas em conjunto e em apelo: não há alguém capaz de me cortar a solidão surgindo de dentro dos órgãos com ela, limpa, lívida, pura, pó de primeira e única safra, a qualidade perfeito-perpétua: ataraxia.

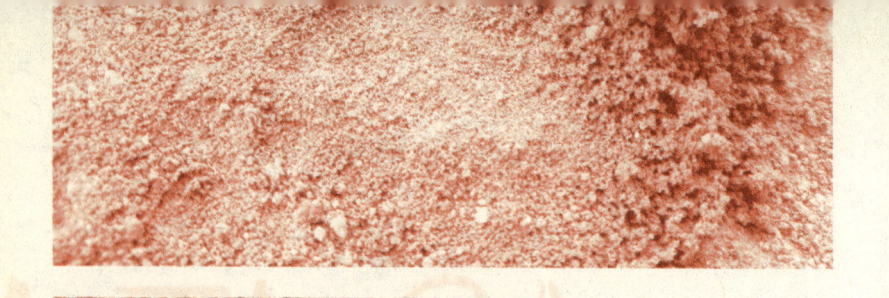

# UMA ESPERA SEM CIGARROS

O subtexto do silêncio foi um dia um dos meus maiores donos. No último sonho que eu tive, trepávamos. Eu puxava o silêncio pra perto e pra perto e pra perto e ele me observava — e só — até o último segundo-único, quando já estávamos boca a boca e perto o suficiente para nos matarmos. Na escada espiral mofada que dá acesso à Avenida 23 de Maio, o silêncio me virou de costas e me jogou no chão de quatro. Arrancou minha roupa e me deixou exposta ao que, em seguida, viria me foder: o subtexto. "Gosto dos corpos sem alma porque as almas estão em outro lugar", eu ouvi, dia desses, e pensei se seria mais poesia falar da morte ou da loucura. Ambas me maltratam e fascinam, desmedidas. Mas o silêncio nunca me doeu — o que dói é a névoa das 23h59 na avenida e o cheiro de lençol usado motel barato espelho no teto luz vermelha neon decadente. Descendo as escadas, em um ponto de ônibus, loucos e mortos ocupavam os bancos, implorando saliva, mastigando pedregulhos, me olhando fundo no olho.

# CASA SEIS

"Inspire-se", ela costumava dizer, ao mesmo tempo — disritmia — em que me lembrava mais-de-vez das tranquilidades e dos descompassos provocados pela respiração. Depende só do ponto de encanto: inspira um, dois segundos, prende, um, dois segundos, solta, um, dois segundos, queda, um, dois segundos — pressão. Há um ano sinto que não tenho nada a dizer. Por ela, expressão fugidia, poderia culpar 2013 da serpente 2014 do cavalo mercúrios tantos retrógrados chaveiros e búzios, ainda que esses últimos me tenham falhado na ventura mínima de instigar. Mas não tenho nada a dizer porque me perdi na descrença no meio de um dois caminhos desvios que me puxaram levaram deixaram, descontínuos. Dois, em doses irregulares. Aconteci num crescente ceticismo de tal forma bruto que me elevou à contemplação de um vácuo-vazio universal; nada permissivo. Daqui debaixo não existe submersão — existe sozinha e única e arrastada a vontade ancestral espiritual passional vin-ga-ti-va de: ser. Desse verde quase barro, tiro um sarro retrátil do meu próprio rosto. Aqui, do alto da minha defensiva; do raso da frigideira que reutilizo na quinta pela segunda terça quarta vez — e cuja pretensão antiaderente de nada adianta — aqui do alto desse chão, assim existo: andando vivendo respirando desencontro. O piso gelado insólito de casa revigora uma madrugada fria e safada. A partir de uma, duas da manhã me ecoa vulgar a ânsia de cozinhar descongelados, e o consequente desprazer de uma tapioca dura e tão dura que só em São Paulo, só mesmo no sudeste sujo é que poderia existir. De nada me adiantam as mãos constante-quentes, o gás do fogão, os temperos no armário. Resisto nos dentes uma libertinagem que roça e treme pelo ruído do vento entre as persianas — de cuja impessoalidade, inclusive, nunca gostei. É a terceira rigidez seguida que engulo, e o som dos sapatos de algum vizinho insone ressoa numa trilha sonora irregular e quase confortável. Esses dias me reforçaram — ela, externa, e eles, internos — que preocupação e criatividade de-jeito-nenhum são feitas para trabalhar unidas. A prática — descarada — continua, no entanto, a me escapar.

*Sozinha, eu nunca vi paixão. Num desses dias-sépia intermináveis entre começo de maio e fim de julho ignorei os limites da guia e andei tranquila pelo canto da rua, deixando os carros, quando discretos, à vontade para buzinar. Em uma semana, quatro quase-mortes e três histórias de quase-amigos mortos me vieram convidar à mesa. Foi nesse mês que troquei o foco das cadeiras, sempre viradas à porta, à rua convidativa do cemitério, e que virei pela metade uma chave enferrujada que funcionava só nas madrugadas, entre meu bolso e meus dedos. Abdiquei das manhãs. Respirei arruda, guiné, alecrim e cambaleei entre pó e pólvora, muito próxima do mar. Sozinha, o mar é casa. No sofá, ondas amenizam buzinas. Na varanda, o encontro com o rio doce umedece o lábio seco de sal.*

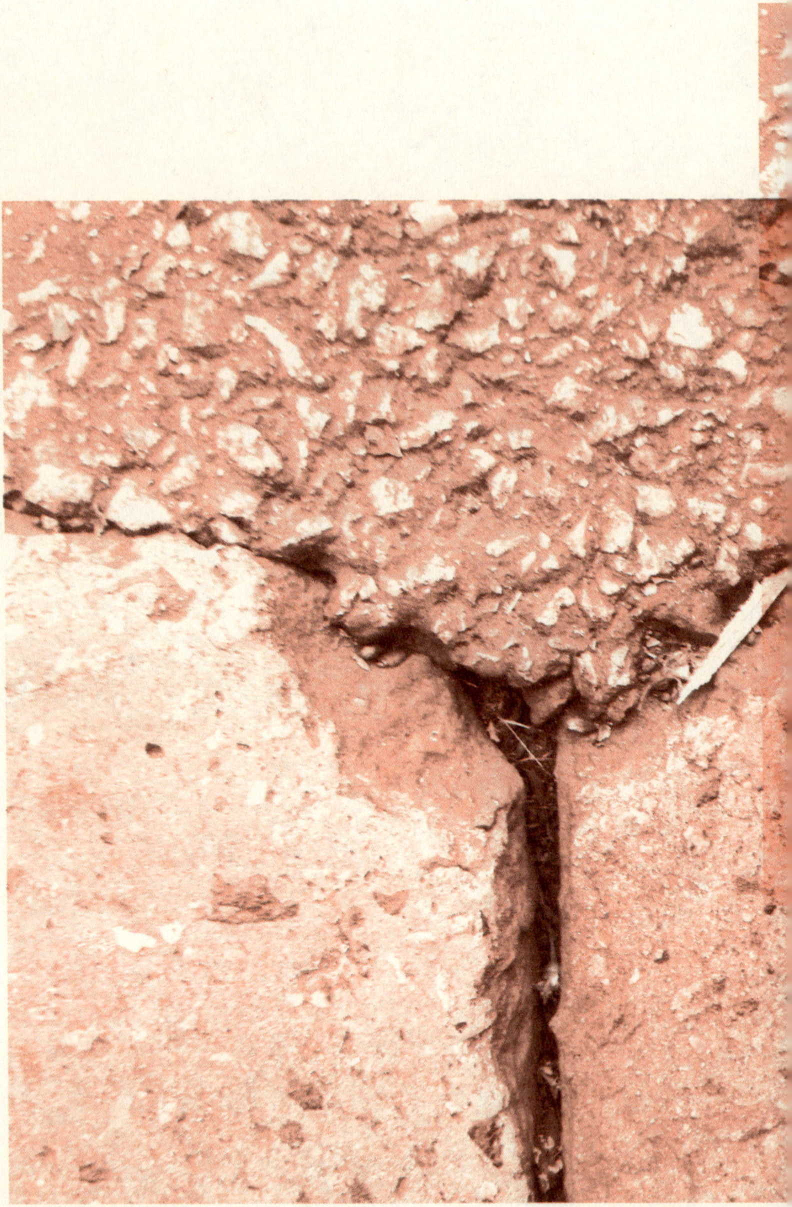

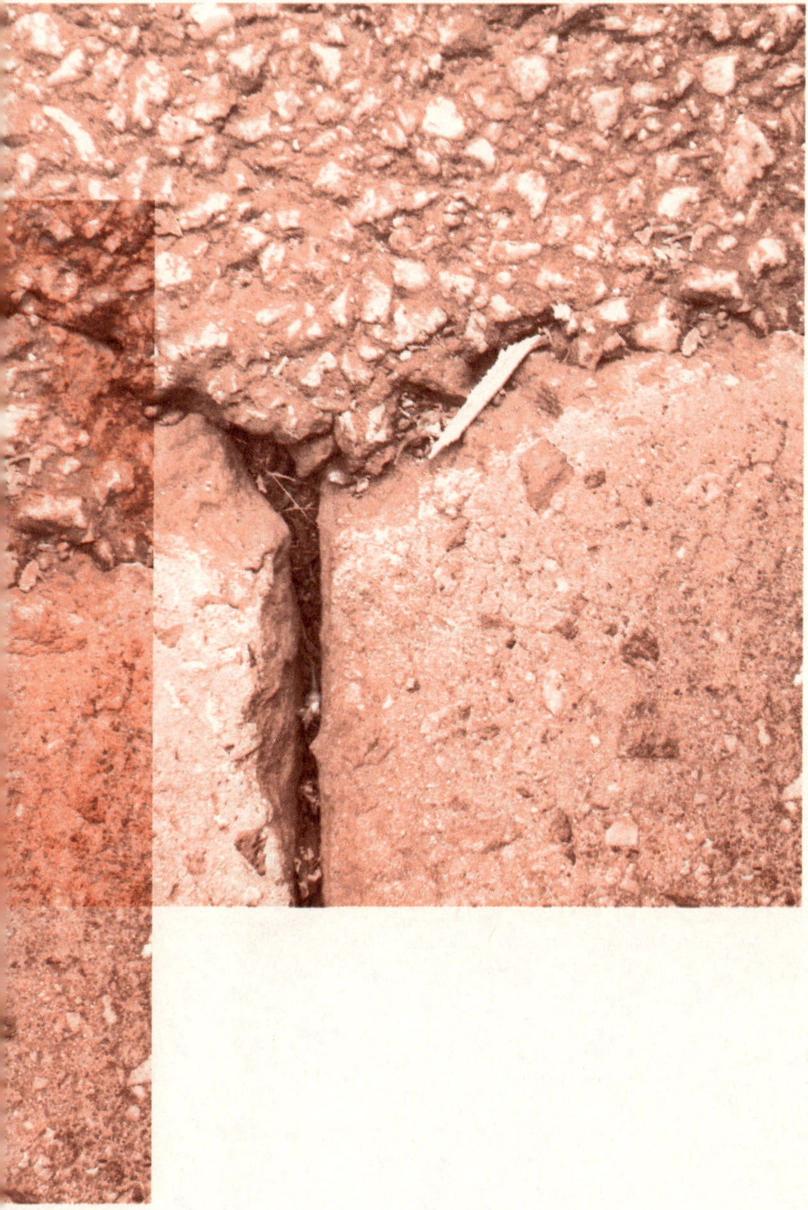

O SEXO ENTRE
DUAS MULHERES
NÃO É ASSIM
TÃO SIMPLES;

É ASSIM:

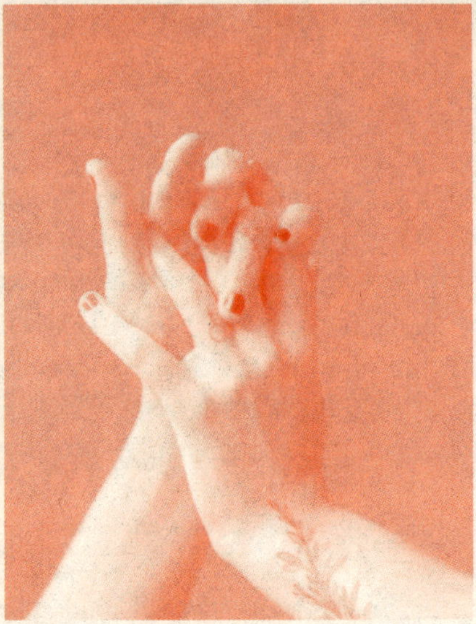

Eu não me esqueço de quando você me permitiu abrir o rasgo. Me colocou na posição que se coloca nos filmes, em minúcia, e me abriu completa-exato para esgarçar na pele, no fundo do íntimo do íntegro do corpo: havia ali tímido subexposto um rasgo. Ainda ontem olhei as janelas e a xícara que quebrou na asa e você falou que pássaro quebrado é assim mesmo, só observa, mas não chega às janelas, aos conformes, às vias de fato — pássaro é tão bobo, né, mas você dizia: existe um rasgo potencial. No dia em que a asa da xícara quebrou você dormiu comigo um sono leve — bem leve mesmo, desses que qualquer respiração faz acordar: você acordava e me acordava assim leve, assim meio peso, à noite, às 4h36 da madrugada, você passava a mão na minha bunda que já tava bem sem nada porque era assim que a gente dormia: sem nada; e eu ainda dormindo você subia em cima de mim e era aquele estado de torpor meio peso sobre corpo meio leve de sonho meio bruto de pressão meio seco de invasão era ali que eu me molhava e gozava onírica, era ali seu suor sua pele riscada seu gemido em cima de mim era ali que eu não pensava no que fosse contrário ao sim. E te olhava em susto — sempre em susto porque era susto que o seu olho tão inteiro em dentros me suscitava — te olhava em susto pensando que te olhar depois do gozo me acalmava em palpitação: eu vim até essa sua casa antiga e cheia de histórias suas antigas e frases e camisetas e músicas e cafés banho quente fotografias — algumas a gente até tirou, mas você sabe que eu perdi todas? Nesses furtos contínuos dos meus celulares eu perdi todas, mas quando é assim dia de terça-

-feira tarde preguiçosa cama imensa quando eu costumava te mandar umas mensagens safadas e me masturbava enquanto você tava no trabalho — nesses dias assim terça-feira eu corro vez ou outra pra cama pros dedos pro cheiro que misturava antes com o seu e me vêm bem na pálpebra, bem no canto, sua cortina laranja e seu corte de cabelo e o rasgo — o rasgo que você abriu e me permitiu me enxergar assim numa análise bem fake psicanalítica, autointerna mesmo, eu mulher, eu, mulheres, rasgo assim sexual, rasgo assim estrutura, mas disso a gente quem sabe conversa outro dia — e me vêm na retina quase no torso do cérebro ali no canto onde se pensa imaginativo me vem o seu desatino em se fazer entrona em se fazer presente; me vem esse seu mecanismo ida-e-vinda que eu já reparei que é sua autossabotagem ao mesmo tempo que seu prazer maior individual de autoaceitação — esse seu *modus operandi* de se fazer inteira até o momento de cansar e esvair tipo tinta recém-pintada mas que já descasca tipo até tinta que escorre velha pelo ralo, tipo vazamento da pia na madrugada tipo último beijo tipo último puxão de cabelo tipo último corpo esfregado tipo ponto-final que repentino estanca. Te olhar assim susto me acalmava em palpitação de vida: você era, ali, viva. Resiste hoje a moldura sua sobre o meu bairro onde as janelas todas gritam em gozo — sem susto. Onde as xícaras quebram e evitam novos voos de susto. Seu susto transborda em ausência tipo casa sem taça tipo casa sem colchão tipo onze espasmos tipo onze passos, forjados: e você não sabe.

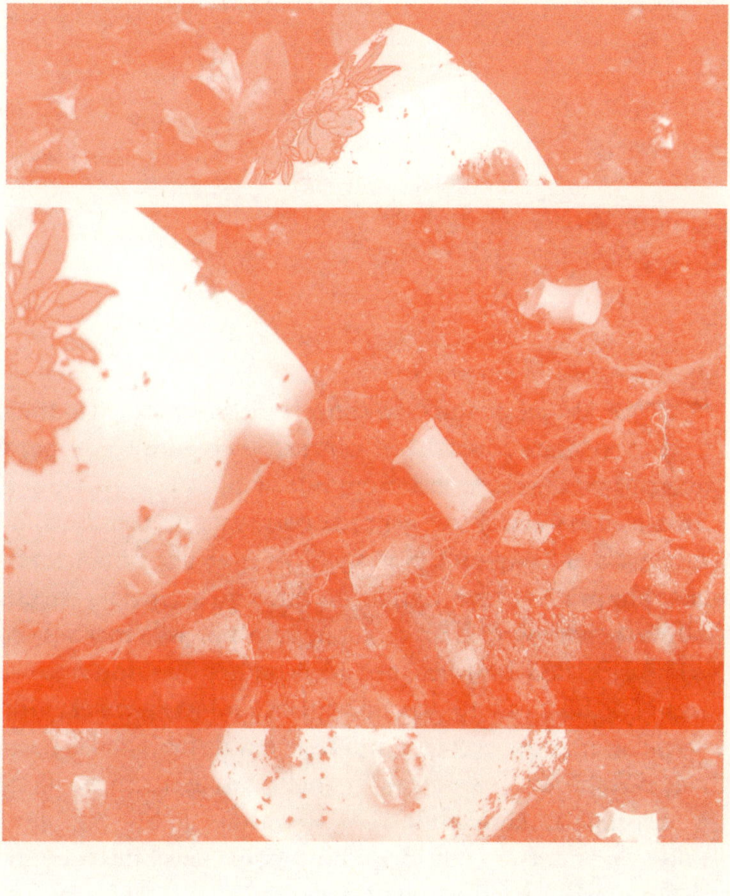

# ENTREDEDOS

Tão difícil quanto são difíceis os dias inquietos, quando nada se sente, se espera ou se anuncia, é perceber o período exato em que se pincela a aparição de uma história grande. A gente não se veste de acordo com a sabedoria do que está por nos acometer ali, distante poucos minutos: o início tímido do que virá a ser uma desestabilização complexa e única e também por isso incrível, um compilado de vibrações que vão nos fazer questionar nossas individualidades e nossas raízes, tornando-as por vezes invisíveis ou inalcançáveis ou mutáveis em instabilidades tantas que a respiração vai se tornar inclusive pífia, em pequenez de existência, impossibilidade de constância. Eu não saberia antes de adentrar com medo ao incontrolável dessa contradição diária, absorção inexata de ideias opostas, sempre se contrapondo, sempre irresponsáveis em termos de exatidão.

Eu tomava a minha terceira cerveja e pensava nas invenções comuns de resistência à solidão: nunca entendi os cigarros, mas fiz parte dos desses grupo, mais pelo hábito, por fazer parte, segurar entre os dedos e soprar um mesmo vazio.

Juntas e pertencentes, as mãos, os rostos quentes, a pressão caindo e muitos os dentes. Não me conectava a nada que ressoava daquela praça: nem o vento, nem as piadas, a cachaça de café, o violão, patins skates bicicletas, copos de plástico, sujeira e cheiros de festa passada; mas resistia nas mãos a cerveja quente, a insistência em pertencer, tentativa de resistir a mais uma noite abraçada ao frio, ao vácuo persistente que nos acompanha por todos os minutos no quando estamos sós.

Beatriz passou quase despercebida, um sopro-relance em sorriso envergonhado, mas bastante exposto, sim, ares de quem, sim, pertence ali: ao sujo efêmero e instantâneo do centro de São Paulo, Praça Roosevelt, Espaço Parlapatões, SP Escola de Teatro e sátiras de humor. Nesse dia, quase não nos vimos: mas eu lembro, sim, os dentes muitos, aparentes em cumplicidade, quando tentei passar o cartão e não me lembrei da senha, quando eu quase pedi uma garrafa no bar onde ela trabalhava e quando eu quase a chamei para que fosse comigo até o banheiro, porque os meus flertes foram sempre adolescentes e imediatistas. Mas em verdade foi no outro dia, pouco depois desse arrepio-aparição (um desses sustos que a gente sente só no por acaso das coisas), quando eu perdi a bolsa com a minha carteira e os setecentos reais sacados do aluguel, e o terceiro celular em três meses, e dois cadernos com tantos nomes (eu durmo tranquila até hoje apenas quando penso certa que nenhum desses nomes tenha ali de repente se visto), e também os cartões, documentos e a chave de casa — meu álibi, esse, para dizer, já envolta por todas as liberdades na atmosfera e sem apegos passíveis de busca: não tenho para onde ir, posso dormir na sua casa?, e ela toda dentes, toda olhos arregalados, toda presente (e toda vergonha, eu saberia depois), é claro que sim, é claro que pode, empecilho único seria a espera (mas pense se a gente prevê tempo de espera quando há em iminência uma grande história): até às sete da manhã, hora em que acabaria o expediente e que poderíamos enfim dormir distanciadas e bastante tensas e acordar em mais dentes de sem-graça — que

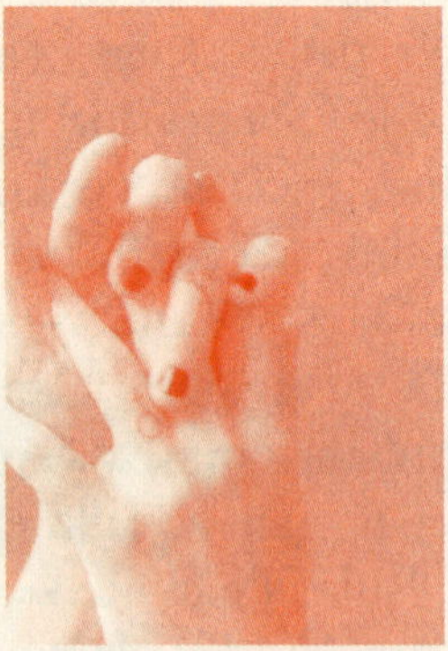

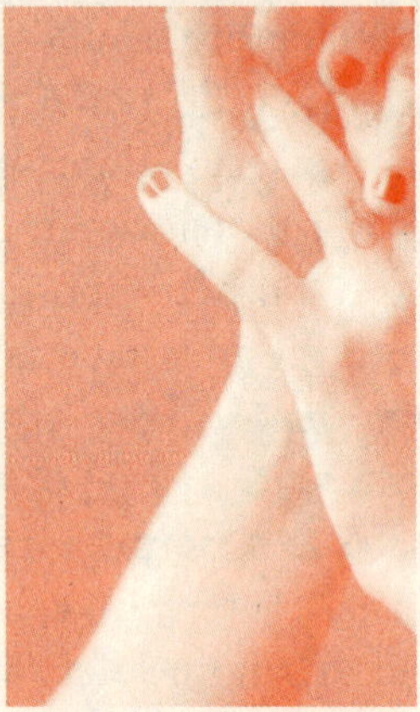

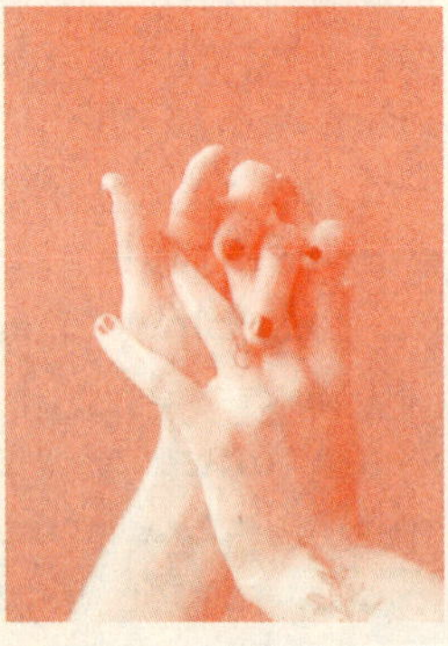

é assim que se iniciam os amores desconhecidos, frente a frente um portal transparente espelhando em primeira vez o que é e era de uma e o que é e era de outra, para fundirem--se bruscas e logo então se desnudarem na queda-livre entre janela e chão.

A aparição de uma história grande é um prelúdio do inexato; não fomos acostumadas a vislumbrar colisões. Fosse quem sabe casa outra a nossa morada, mato, talvez, um tanto de água, um tanto de bichos (assim como a gente, erráticos, selváticos, pouco estéreis), flores coloridas e cheiros amadeirados, os pés sempre bem aterrados nos lembrando de voltar quando necessário para a realidade; não sei, não sabemos, talvez nossos questionamentos fossem sobre as vicissitudes universais, o tamanho do cosmos, o nome real de deus, os rituais mais ancestrais, as bruxarias mais transformadoras; seríamos talvez outra dupla, outros poros, as peles nossas mais suadas, mais humanas nos termos menos assépticos da palavra. São as histórias grandes que nos elevam ao mais vergonhoso de nós: buracos infinitos. Não escolhemos a camisa ou ensaiamos os dentes na antecipada entrada — histórias essas nos arrastam em fluxo coreografado: nós duas, os traumas, as crenças, lições de casa, ensinos de medo, famílias descompensadas e a perfeição robótica de São Paulo nos contextualizando as imprevisões de tempo. Tão difícil quanto sentir nada é sentir tanto, e tão fácil quanto um encontro no acaso é assim simples aceitar os dentros. Igual distante e próximo de nosotras, em choque narcísico, nossos egoísmos acolhedores. Atenta bem: uma história grande se faz imensa quando entra, deixa o cheiro na fronha, passa café coado, desestabiliza convicções, dialoga em sotaque mineiro, inventa teatros, argumenta sobre A Grande Verdade, chora pelo mar e, calor de outubro, uma da tarde, sete da noite, meia-noite outra vez, fica.

# JANEIRO,
## outra vez

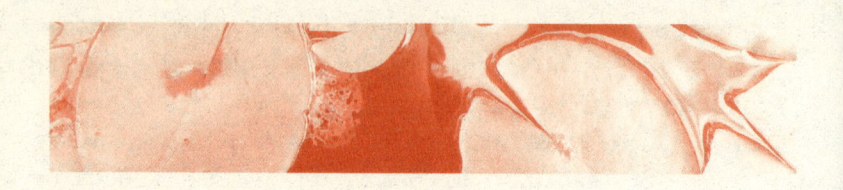

Eram exatamente seis e dezenove quando vimos os corvos em revoada sobre a praia no último dia do ano. Você disse: o seu queixo, e eu sorri com a certeza da turbulência que fazia meu rosto vez toda que eu te olhava afundando os dedos na areia. A cidade era toda sítio, os búfalos comiam grama enquanto badalava o sino anunciando a nova estação. Eu soube que seria calmaria a nossa palavra, mas não era coisa que se dissesse antes de o ano começar. São trezentos dias de espera e sessenta e cinco de certezas cambaleantes. Você apontou para o outro lado do rio e eu pensei que não seria ruim atravessar a área de risco depois de ter visto os flamingos em uma perna só, equilibrados. Boiar em um mar sem sal foi a minha salvação preferida. As ondas de rio doce são menos desesperadas. Quando a maré encheu eu te percebi olhando distante as embarcações, o quente acompanhando o vento, você tinha na íris a lonjura do que a gente não conhece. Anoiteceu na baía dos coqueiros ao mesmo tempo em que eu compreendi deus. Pisamos nas dobras das terras do Pará mas em paralelo estivemos em pontos do universo que eram a lua e eram também marte. Na verdade, eu desconfiei que pudesse ser vênus, mas eu não contei porque estava entretida olhando os seus ombros descerem e subirem enquanto você se abençoava na beira, entre as ondas amarronzadas. Eu molhei os pulsos e a nuca pensando que deus e os flamingos e os dias de um ano e o tempo que corre em vento quente ao seu lado são todos bastante parabólicos, um conforto um pouco áspero, como o que sentiram nossos pés vez toda que pisamos, nesse último ano, nas veias latinas de praias e florestas. Eu mesma não imaginava ser possível sentir calor dentro do útero do rio. Na Amazônia não é diferente de Capitólio: há sempre uma igreja no meio da praça e o gosto da fruta e também a curva do seu braço no meu colo quando deitamos e os votos universais de renovação. Há no mato um algo de irreconhecível que acolhe todos os que acreditam na mutabilidade dos ponteiros do mundo.

# FORA DE ÓRBITA
## segunda parte, de três

Confirmam meus antecedentes criminais: silêncio só se quebra em lágrima ardida. Não que tenha cometido atrocidades — minha força pouca, equilibrada à fraqueza que escondo, pulsa inábil. Mas para Maria sempre serei dos piores filmes mudos.

Espreguiçava os dedos sobre os meus, sobre as bochechas quentes, sobre lábio pescoço pulso e dizia ora vamos fale fale fale-grite berre qualquer coisa, e eu nada, eu observava com olhos sóbrios estagnados na horizontal da linha que interrompia fundo o tronco de árvore desenhado à janela em frente. Filme B, ela dizia, enquanto me sacudia para acordar — e assim acendiam os dias, bruscos com o sol invadindo sujo o vidro do décimo segundo andar — Maria me sacudia e eu nada, eu observava com olhos diminuídos à luz que cegava segurando com força as barras da cama, mas bê de quê?, certa vez deixei escapar, B de beijo, bruto besta barro me beija, Maria pedia, me beija nos dedos, que sinto falta dos seus. Me entende, Maria: existo sobra em pó; nada em mim pode suprir essa ânsia por retalhos — do roto de minha roupa-desgaste ao nó cego que me impede ter voz —, eu dizia.

E Maria, que não entendia, esquentava água e elaborava receitas de chás da Índia da China da Europa, folhinhas secas gosto de outubro cheiro de fogueira e borracha para me segurar — e seguravam, aqueles dedos, e espremiam, aqueles dedos, limões e têmporas, boca e ânus: Maria tubo sem fim de mim. Depois do chá apertava o botão do rádio e forrava o chão com um edredom raso que cheirava a óleo e cimento. Dos olhos, o seco suplício pela minha fala, ausente. Da boca, de tudo saía na vontade de inibir o incômodo: silêncio silêncio silêncio silêncio provocado que expelia ritmado de mim. Na casa de Maria eu dormia dia sim, dia não. Um sim eu me convidava, um não eu fugia. Outro sim ela me chamava, outro não fingia descaso. A tevê pegava mal e era dela que nos consumíamos. O chiado: nosso único som em sintonia. Dos barulhos, eu apreciava o gasto que a sola solta do sapato fazia ao entrar em contato com os paralelepípedos, sombra da rua, da praça, do túnel, mas Maria apressada ansiosa dizia: não servia para andar solta em São Paulo anoitecida. A noite era antes para Maria motivo a entrar — e assim entrávamos, em tantos bares casas camas shows buracos cheios cheiros sons dentes alcoois licores, amores meus à frente de Maria, passado presente, e chorava ela um choro que era meio susto, meio suspiro; vulneráveis em desinibição.

Maria era vísceras e eu era rouca, ambas em elasticidade, esgarçando. Nosso desencontro era dado em tropeço, e Maria me chamava louca ardendo em febre no meio da avenida: vem e me salva, vem e me tira, me puxa, me empurra e me mata, mas me sente me sente me sente me fala. Eu, nada. Observava Maria histérica com olhos cansados. Filme B mudo em preto e branco interrompido pela trilha sonora arrancada dos carros, que faziam de Maria dança triste — atravessava à esquerda, passo torto à direita, salto duplo em rasteira e vinha Maria cabeça baixa e dedos tremendo buscando no bolso dela o isqueiro e no bolso meu os cigarros e os dedos; os dedos que fugiam dos de Maria. No fundo do meu casaco, debatendo o contravento, escondidas, minhas mãos. Distante, observava luz e enquadramento – Maria no sujo surrado do piche sentada no chão. Dias antes tinha me dito Maria: só conseguia ver beleza no doente. Mas por quê, Maria, eu perguntava, por que no sórdido?, e ela respondia que sim, sórdido, e afinal como não seria?, porque só no sólido decomposto e no grito do gozo, só assim, toque corpo aperto dor sabia se sentir: viva. Eu, nada: permanecia à morte de reparar os detalhes oblíquos de Maria que continuava a gritar sem vírgulas me sente me sente me sente me fala. E mentia, indignada, sobre como estavam cada dia mais inóspitos e mais herméticos e mais insuportáveis os formatos e as fotografias dos filmes B. Eu assentia, enquanto me puxava, ela, pelo escorregadio da mão. Entrelaçava nossos os dedos e corria descalça no quente, como quem ainda enxerga graça em bueiros velhos cantos melados centro de São Paulo. Enquanto me alongava o braço, que a cada puxão estalava, Maria roçava nas guias das calçadas, água corrente de esgoto, molhada, ao lado de ratos e restos do fim de outubro, mais uma vez fora da estação. O ar tão seco era também fumaça que fazia de Maria fotografia filme atriz nas luzes vermelho--neon do túnel onde encostávamos para fumar cigarros e rodar moedas nos dedos. Gastávamos todas elas em garrafas de vidro, e competíamos para ver quem tirava a tampa só com a carne do corpo – não nos era permitido usar panos de roupa. Era ali também que Maria me filmava: lado esquerdo do pescoço, canto do lábio, três pintas perto do olho. Roda, ela dizia, roda que nem filme B, nessa tortura imensa – e eu rodava. Mas para Maria sempre serei das piores imagens; sem cor. Filme mudo em preto e branco, ilusão de ótica e existência ausente.

Certa vez corremos no encanto quase, quase de mãos dadas – ela gritando e eu acompanhando repreendendo engolindo o ritmo acelerado da respiração. A sujeira perseguia todo passo de Maria, e grudava em nossos sapatos a lama seca restada dos pneus que passavam. Cansadas, nossas pernas revezavam-se entre o carpete agridoce verde-úmido do hotel em frente à banca de frutas e a areia áspera da praia — o chapéu cobrindo os olhos enquanto surgiam juntos, no fim da tarde, a roda de capoeira, a lua e o sol horizontais no céu de um mesmo mar.

A água se expunha crua, um tanto mais limpa que eu e que Maria e que a casa velha gelada sem eletricidade onde sentávamos pela manhã para passar filtro solar. O incenso de maçã verde queimando no suporte de madeira, a vela branca acesa para Iemanjá, a manteiga escorrida no pão queimado e o chão forrado por papelão cobrindo os tacos da casa que estava constante em reforma. Cuidado com os incêndios, eu dizia para Maria, cuidado com todos eles, eu dizia a cada vez que ela mudava os forros de lugar. Maria, para me agradar, colocava a vela próxima à janela e às persianas de que, eu nunca disse, mas nunca gostei. É que me falava Maria que filme B já é por si escancarado, não sabe prender atenção a um mistério — a própria tensão mística já é falida — e por isso mesmo o mudo lhe era fácil desvendar. Mais fácil de ler que história de criança, ela dizia, mas igual confuso, também. E eu perguntava, à beira do mar de Maria, por que então o som das ondas, música orgânica, ela não conseguia desvendar. Era então que ela se fechava em rugas e chorava, cheirando ainda a sal; buscava no bolso as chaves do carro e em seriedade nos dirigia de volta à cidade, à esquina onde me buscava nos mesmos fins de tarde que, diziam as pesquisas que lia Maria: eram os melhores horários para se matar. Depois dava risada, me esticava novamente os dedos, mordia uma maçã e pedia a garrafa de água do banco de trás, onde batia sol e ventava durante os cochilos que eu tirava, sobre a toalha, enquanto passava a raiva de Maria. Eu, atrás, sentia: todos os seus incêndios corriam, com os carros, disparados na avenida. Fosse bicho, eu corria também. Mas filme B não tem instinto, selvageria; não tem intuição. Enquanto eu dormia, ela acelerava. Nosso desencontro era dado em essência, e gargalhava Maria louca em febre no meio da avenida: me salva, me tira, me puxa, me empurra, me mata, me sente me sente me sente me fala. Nada.

Eu, sonhava — luz e enquadramento de cena das árvores verdes em volta que corriam como corria, em veias saltadas, o sangue de Maria. No meio da avenida, ria ela em desespero: filme B é mutilado, sem ritmo, inacabado. Eu, nada; figurava o pé no acelerador, a luz artificial da rua iluminando seus dentes em atrito com os lábios. Filme B sem gosto, ela prosseguia, infinito abstrato submisso previsível recorrente. E ria, no cruzamento, dizendo que eu só poderia mesmo pertencer ao longe. Eu, respirava — olhos fechados molhados sob o sol cego que fazia outubro arder. Segurava o ar um, dois segundos e recordava sal, piche, cimento, dedos, umidade: nada. Maria corria enquanto exprimia um agudo grito de silêncio. Eu, incêndio. É que filme B respira errado, é disco riscado de notas quebradas: sem continuidade — lágrima — sem sincronia — ardida — e sem música — oco.

Sem Maria também.

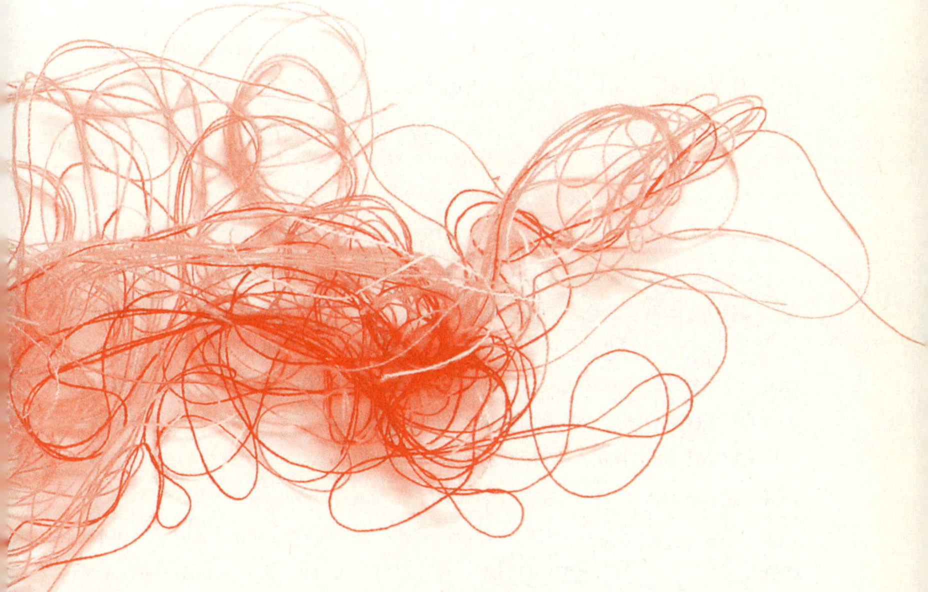

# FICAR É VERBO INCONSISTENTE

Eu não te olharia sem medo não fosse a sua vontade enorme de se fazer presente e ficar. Minha boca meio torta meio de lado meio rindo (pra você, e não de você, como você pensou que fosse naquele dia em que quase foi embora), meio bastante eufórica, já não escondia a tensão dos bruxismos, a secura no canto, "tudo isso é stress", eu não diria, na fantasia de buscar na sua o mesmo sem-jeito; minha boca tremia acima e baixa, sim, bastante baixa, tremia certa também por não saber o que dizer a cada vez que você sorria dizendo: fico. Eu nunca diria naqueles meses em que tudo era raso e confuso e permissivas apenas as nossas fugas: fico; e eu não dizia e nem entendia e pouco acreditava que era real possível enfim as suas escapadas e estadas e o tempo tanto que você insistia em gastar em noites de cerveja e tardes de vinho e tanta ousadia em: ficar. Eu não concebia, era um monte defasada essa sua moradia que repente no meu colo, no meu ombro, no meu bairro e na cadeira bem em frente e também depois na frente do meu trabalho, e tantos pratos e porções e papos de minha nossa mas como é isso de gostar de uma menina, uma menina, assim, e me olhava meio de cima mas ainda tão pequena e também um tanto curiosa, sim, (fica?), como o movimento que fazia a minha boca: curioso, vez toda que você me permitia aceitar o seu estado de permanência ali.

# NA JANELA O RASGO DE ONTEM,
## que já não é

Olhando assim do meu sofá essa janela que me abraça durante as tardes eu penso que eu poderia ter te beijado nos degraus da porta do meu prédio, como quando ontem eu fiz, ausente de você. Eu poderia, sim, porque eles, os degraus, são até bem poéticos e bem gelados em dias quentes assim quando há a minha mão quente assim longe da sua (que nunca foi fria mas anda assim fria-distante da minha e do meu cabelo e da minha nuca e da minha buceta e da minha bunda e daquele jeito que a gente gosta que eu gosto muito e que eu sei que você gosta também muito porque isso você sempre demonstrou bem); em dias assim eu penso que a gente poderia ter se permitido os muitos o-quês que a gente sempre dizia que permitia, mas que antes a gente também sempre sabia: não. Olhando assim neste verão que chegou antes como chegam antes as sensações que a gente não entende e assim como chegou você: antes, e na mesma proporção em que entrou correndo criando fazendo planos de churrasco de cantina italiana de viagem de ano novo de repertório no violão de mudança com carreto e tudo e até de casamento, olha só, e eu aceitei, olha só, de véu e grinalda, eu disse, e você riu e falou que era sério e eu só conseguia pensar que nada do que vinha de você poderia ser sério — e isso eu penso hoje que eu pensei desde o princípio e daí proteções tantas — e as proteções todas afinal de nada adiantam-adiantariam, porque existe um algo chamado hábito e você chegou criando querendo um hábito: e você se impôs e criou sobre a minha casa sobre a minha cama sobre a minha janela florida e sobre o pallet do meu quintal e sobre a mesa da cozinha e a minha cafeteira e a minha vizinha e o meu liquidificador e a taça que você trouxe e os colchões roubados e as músicas e microfones e risadas muitas e mordidas e tapas e olho arregalado e até quando você olhou séria pro meu teto — você vê, seus momentos sérios eu guardo preciosos — e todos os hábitos formalizaram a neblina que era seu olho no meu assim deitadas respiração assim próxima assim cheiro seu e meu misturados e cenas de teatro e vídeos e textos compartilhados e a fresta da janela bem no seu rosto — você odiava tanto esse sol que, olha, ele foi embora mesmo, a fresta agora é bem fechada, eu nem sei como eu consegui, mas fechou, vê?, e olhando assim nesse verão que chegou antes eu penso que assim como você chegou rasgando invasiva no meu maior dentro você também saiu fora e saiu repente tipo vento que corre em pé sibilando um som bizarro e saiu suja saiu rasa divulgando os contrapontos na superfície — que minha intuição sabia e até você dizia e eu sentia mesmo querendo não sentir, eu sentia: era ela seu *habitat* natural, cama-conforto, espaço ambiente casa, ela, a superfície.

Esta noite eu sonhei com você. Sonhei que conversávamos sobre gatos. Animal-bicho mesmo, o gato, e falávamos que eles são assim distantes e precisos quando nos olham no dentro do olho. "O olho do gato me faz lembrar da gente, sabia?", você disse. Eu quis rir, porque costumava ser minha reação imediata a qualquer fala sua. Mas no sonho você me atravessou assim com essa frase que me pareceu séria e por isso eu não ri e por isso foi que eu guardei.

# ANTES

Eu quero sentir o cheiro que você tem entre o lábio e o nariz. É anterior ao das manhãs, que gruda no lençol, e ao que você deixou na almofada da sala há três madrugadas; ao que vem depois de corrermos sem pressa o domingo, ao rastro seu que ficou no elevado e ao que eu estranhei da primeira vez. O seu cheiro mais seu é este: entre o nariz e o lábio, na curvatura inexata que permite a saída de ar feito onda e onde reside o abalo quente da pele. Assombrado, o beijo não acontece. Nossas línguas se quedam caladas abaixo do espaço tão mais íntimo que é: você conhecendo o meu cheiro e eu conhecendo o seu cheiro. Uma intimidade individual, afoita e sempre presente, mas existente só quando por uma outra, no toque próximo, no respiro externo, nos pelos finos que acarinham o buço logo antes do encher dos pulmões.

# PAREDE DE CARNE

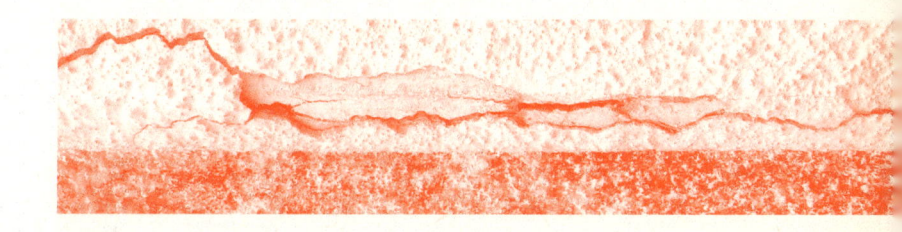

Se te digo que ainda não tinha ido, é porque era por ela que fincava firme os pés no barro do sítio. O cheiro fresco do mato espesso que crescia como crescíamos nós nos anos antigos, as frutas que caíam rotas em cuspe do pé — não. Seria antes carinho, não fosse o esforço pelo não. Eu não ficaria, e ela sabia: cerceava cada passo cada palmo cada pedra que eu chutava quando corria; e corria, corria descalça fúria louca desespero atrás de mim me puxando pelos cabelos pelas pernas pelos anseios — me incubando dia a dia mais. Não, eu não avisaria, mas ela e qualquer um que a passeio entrasse na casa já veria de longe as rachaduras. Incômodo seguro, mãe, discurso de útero — eu não seria antes alguém não fosse a opinião dela. Você lembra quando segurávamos juntas o corrimão da escada para escorregar — eu, periférica lá de cima, e você embaixo, pronta pra segurar caso eu caísse — e ela empurrava com força o sorriso? É que de toda ausência de jeito que tínhamos, teríamos antes que ser: adultas. Esse jeito nunca me foi de propriedade, e essa artéria sempre me foi implosão. Não tinha abandonado ainda a nossa casa, mas os olhos da mãe me perseguiam mais densos enquanto eu não me mexia. Em agonia de silêncio eu quase imploraria ficar; mas era o mar e todas as ondas ardentes — e só ele, e só elas — que me empurrariam à intenção.

# ESPELHO
## parte um, de três

Me espreguicei na cadeira pela terceira vez em quarenta minutos. Esse último estalo foi mais longo. Tentava assim extirpar de dentro até a ponta dos dedos o acúmulo de inexistência em mim. O corpo nunca foi meu: era antes calabouço. Com o espírito preso entre sete paredes espessas de carne e veias dentro das quais corria um roxo viscoso ininterrupto, risquei do pulso ao ombro a ponta fina de uma agulha a rasgar sutil a pele — feito desenho de criança. Maria me dizia que pintar pra fora da linha de contorno não tinha problema, contanto que houvesse cor. Vermelho era a cor preferida de Maria. Eu me pintava estourando veias para agradá-la. Na minha imaginação, seus lábios seriam meus pincéis — mas me dizia Maria que eu havia nascido sem talento para desenhar: era desajeitada com formatos, inventava e confundia cores em coma e precisava de pelo menos três guardanapos de pano — estava sempre a me sujar. Maria me limpava, enquanto escorriam em lágrimas minhas tentativas de ser. De vez em quando, enquanto dormia Maria, eu caminhava cautelosa até sua porta, tentando não pesar forte sobre o piso velho de madeira, e a olhava com um só olho pela fresta. Seu cabelo invasivo largava o travesseiro e quase atingia o chão. Maria deitava como deitaria a mulher que eu gostaria de ser. Do lado de fora do quarto, eu imitava seu corpo com o meu, e desejava inspirar o ar que saía de sua respiração — ar sonoro que eu imaginava quente e úmido, e que, escondida, ouvia ritmar. Estudei Maria pelos meios todos que pude: almoços, posturas, cortes de cabelo, assobios de melodias, recursos iconográficos, hematomas nas pernas, animais de repúdio, sal, pimenta, limão e açúcar, tatuagens e cicatrizes mais. Fichei seus traços em páginas amarelas de um caderno antigo. Tinha me dado como objetivo pós-graduar em cada sarda cada pinta cada marca que me fazia surgir atração. Ter um diploma de alguém: e assim, poder ser. Sem corpo, buscava uma alma para me revirar e retirar do gelado cinza; o porão de mim. Decidi então que seríamos cúmplices na fumaça: eu, cera que derretia em contato com ela — e ela, vela inteira a queimar. Para que uma existisse, precisava a outra matar.

## II

Todas as noites, antes de dormir, eu treinava a pintura. Sobre minha mesa, montei um altar coberto por uma toalha remendada: velhas calcinhas esgarçadas de Maria, panos de louça ainda úmidos, papéis em que limpava seus olhos-olheiras de lápis preto, guardanapos com cabelos que não escorriam pelo ralo da banheira. Molhava uma escova de dentes de cerdas abertas na tinta escorrida do meu braço e recriava retratos quase perfeitos de nós. Pulsavam minhas aspirações como as veias: implodindo sempre em pequenas bolhas de mesma cor. O cheiro variava entre carne crua e ferrugem. Aspirava e acreditava estarem meus caprichos cada vez mais próximos de suas exigências. Minha mãos vibravam, colorindo de vermelho o altar e de roxo minha pele: expurgando a estagnação do sangue velho. Dava assim espaço para que escorresse, reciclando o ar e deixando que oxidasse o sangue novo. Me sentia assim dedicando energia ao que me permitia estar viva. Maria seria minha pílula por natureza intensificadora. O prazer que crescia em mim era o de, por ela, ser. Existiríamos unidas, consumindo em banhos quentes uma a pele da outra. Cresceriam em minha nuca os pelos finos do couro de Maria e suas bochechas ruborizariam quando ressoassem dos órgãos minhas próprias vergonhas. Esperava ansiosa pelo dia em que meus cabelos chegariam ao tamanho dos dela. Nesse dia, então, eu prenderia — como ela prendia — os grampos nos lábios e, em risada abafada, levaria as pontas dos dedos ao teto da cabeça, criando um espetáculo ninhoso, um universo delicado grudado em laquê. À minha floresta incipiente, convidaria e afogaria Maria entre os fios. Enforcaria em soluços suas glândulas do falar. Não permitiria sons externos às nossas paredes brancas. Teríamos por trilha sonora somente os gemidos dela e as risadas minhas. Entre vibrações e apelos, decretaríamos em desespero nossa sintonia: única própria restrita conjunta e compartilhada, solidão.

# PACTO DE DESESTRUTURA
## em comum acordo de que a decepção chegará

Sentia viva a carne a cada arranhada escorregadia das costas; deitada sobre o feno logo abaixo do céu. Diria que era estrelado fosse eu antes limpa, e juro que adoraria – mas era ali, no sujo pestilento lama desgaste que me sentia estéril, em plenitude com o universo. O cheiro de bicho me fazia ser pelo, carne e ânsia. Era no grito, no uivo e no sopro que eu clamava por paz. Minha serenidade única, ali: no feno salgado que umedecia as partes de trás das minhas pernas. Era ali que desejava a lua de repente minha e Anne Marie de repente nua. Era ali que coçava os olhos num gesto tosco mal-acabado depois de chorar correr gritar com os porcos à exaustão. Meus momentos mais prósperos à intimidade eu só absorvia entre o barro e o não. Era no sórdido imundo que eu me sugeria gás volátil – e ali me queria fazer morada. Me consumiria somente de ar, palha e terra molhada. O laço, minha correia. A sela, meu selo de castidade. A ferrugem da grade, minha libertação.

# II

Comigo, Anne Marie é tipo ponta de faca quando entorta. Nossas epidermes são formadas num misto de cálcio e gelo. A gente é tipo gesso que sobrou derretido-endurecido na pele de outra vida. Sei disso porque lemos juntas certa vez, enquanto bebíamos e derrubávamos café no pano na mesa de madeira do lado de fora da ginecologista; sei porque lemos cada um uma palavra alternada do mapa astral que era meu e era dela e não poderia haver outra infâmia que não a aceitação: sei porque líamos em mente, a distância, na espuma do leite; era verdade — já era hora de abandonar derivados animais laticínios queijo ovo parto pelo menstruação — era já tempo de deixarmos obviedades translúcidas, mais pelo que amargavam no lábio na boca na garganta do que pelo tempo de cena. Ela, arte livre num céu nublado; incapacidade de consequência. Eu, sempre fui talvez; meio-termo inacabado. Mas sei, sei ainda porque lemos, e Anne Marie se fazia pedra permeável enquanto rodava e revezava os dedos entre o cigarro e a minha buceta. Anne Marie é Escorpião ascendente em Áries lua em Peixes. Mas quer, embora não assuma, as vontades de ser Aquário. Não: é ainda antes porta, corroída à invasão. Anne Marie me batia como batiam as águas do lago a cada vez que uma criança afundava em impulso um pedaço de pão pros patos. E me doía tipo dor de tatuagem; rasgada. Certa vez pedi que me segurasse sóbria entre suas costelas, meio duras, meio devastadas — mas ela fugia de todo modo que. Nunca Anne Marie me havia visto longe do que vem ébrio. A angústia sempre lhe foi febre de superfície. Me dizia quente em nervosismo jovem militante crente medo sonho coração: era no barro, no feno e no ralo que me queria sua. Anne Marie é dos rabiscos que eu mais tive vontade de sangrar.

# SINCE I'VE COME ON HOME WELL, MY BODY'S BEEN A MESS

Não acredite em nada do que eu digo. A interpretação será a nossa verdade. Será assim desde ontem, quando eu desnasci de um colo e me vi embrião, me vi de novo na placenta da baía que fecha o último suspiro do mar. Eu me vi, sim, no buraco quente do *empty*, e me dispus a acreditar em matas virgens, torcicolo, seus dentes batendo nos meus dentes, o vão entre as pedras e a onda, a vala de barro anterior à rocha, a parte de trás do seu braço bem acima do cotovelo e a gente cantando errado a letra de "Valerie" pela manhã. Frente ao verde ali na finura exposta da varanda que abria em música o som do grilo e do alho sendo frito, éramos eu e você, como ali, também expostas — mas só porque havia muita água. Chovia em peso nos tetos e nos lados de fora e nós duas leves, levezas, duas espumas de sal, gotas em mergulho se espaçando dentro do vidro feito palácio também de sal, o nosso aquário colocado ali, no centro do mundo, porque nascíamos e renasceríamos ("*I promise*", *you said*, nem fui eu que falei) do mato e da lama e principalmente da chuva, na cama quentura renovada no desenho dos nossos olhos, abertos agora, os cílios bordados, o globo inteiro tela, a íris bem redonda e fadada à inverdade das ilusões (não acredite no que eu digo, eu digo outra vez), e a pupila fixa, metade em negação, metade derretida: porque junto à chuva havia ainda o calor, e derreteríamos, olhos e colos, buços e coxas; e mesmo que estivessem os meus princípios ali, numa releitura parcial e absolutamente egoísta, era a costura do seu olho que me fazia repensar: haveria no coletivo um tanto de partilha, sim, mas seria mesmo o seu, inteiro, e o meu, absoluto, o mesmo mar.

Bem no meio do desgarre, enquanto eu flutuava *alone and vulnerable*, secretamente esperando ser carregada pela baía, ele, o mar, me segredava em último suspiro: aceito. E concordaria apenas, o mar, por não saber — diferente dos nossos olhos, visionários, futurísticos, à espera do trauma. Sabíamos. O mar é a expressão expandida de nós quando cada uma, individuais, e não há ilha que negue: o que eu penso e o que você pensa jamais numa mesma galáxia, não quando nessa dimensão 3D mal calculada, entre pegadas em farelo, areias trocadas de lugar, histórias editadas, o tempo em ampulheta há mais de dois mil watts e: não. O que eu penso e o que você pensa são no agora duas ideias imateriais, em contusão.

Menina, amanhã
o mundo acaba
e a gente aqui,
criando caso
pra fugir
de casa
pra se manter
sã:
corpo no chão freio
na mão
noção
segurando
forte
amarra
de razão
atenção,
a vida escorre
hora ou outra
a gente morre
não há caso
ou casa
que desperte o
"é"
é
largando
sentindo
vivendo
que aparece

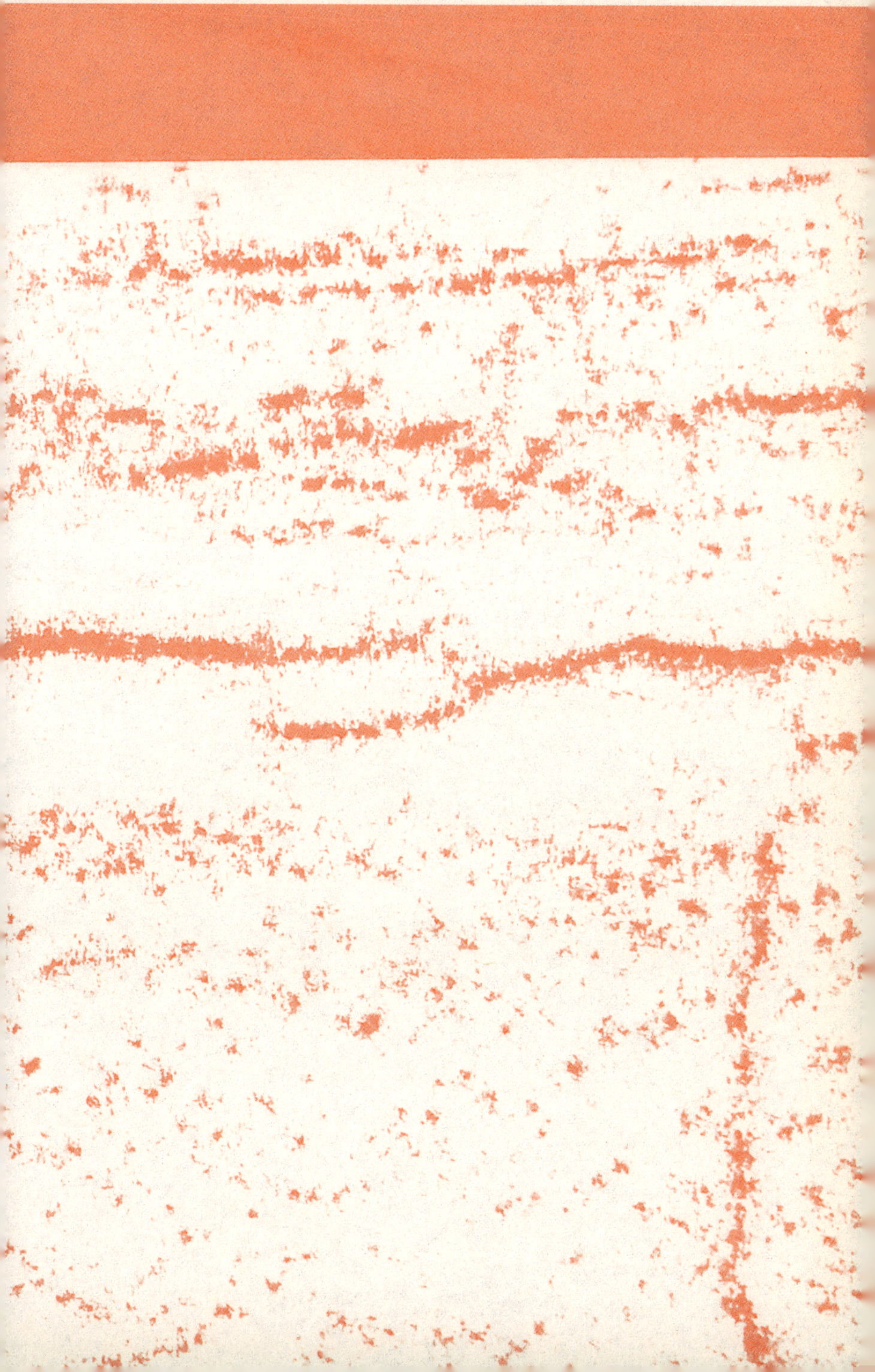

**EU COSTUMAVA
ASSOCIAR AOS FINS
A DECADÊNCIA
DA FALHA**

Eu quero sentir o nascer de uma cicatriz. Na tarde de ontem, fim de março, audiovisual e gravações, caminhei no intervalo por uma rua enfeitada de árvores, formada lado a lado por casas, disposto um carrinho repleto de copos d'água e a alegria média dos inícios de outono. Ali, conheci um menino que disse ganhar dinheiro inventando rostos, expressões e marcas de pele. Quando é março há o costume de se ressaltar, solitária, a melancolia dos tristes. O prelúdio da minha existência, marcada a cada começo de abril, é também todo feito de marcas — e de balões estourados, caminhões de lixo e atrasos superexpostos. São os fins de março os anúncios da minha impertencência, feito prova medindo em peso dois a minha inadequação durante o mês. Um erro em março vale por todo o ano. O menino me disse: é fácil fazer cicatriz. É simples sutil, um ácido que toca em desenho a pele. Pegou com três dedos o meu braço. Minha pele ardeu no risco fino de estar ali. Ele sorriu e, os olhos enrugados, me disse para não passar a unha. Eu pensei que mesmo o ácido repuxando a pele não haveria de doer como doem as ausências. Era preciso apenas atentar: correr o risco pelo braço uma vez em quando — porque se fosse necessário manter as aparências da falha por mais de um mês, ela poderia se tornar real. Já faço das minhas memórias costura. Mas acho as cicatrizes, quando após, desenhos tão inteiros. São peles em grito. Elas dizem: existi e existo, nunca a mesma. O menino apagou a marca duas horas depois, com um líquido de cheiro forte, gelado na ardência. Me disse: melhor que você não arranque — não sabemos como seria. Eu concordei; não sabia. Mas guardei a imagem, de tão bonita. Minha desidratação é coisa de pele. Meu apego às lembranças me mantém muito preparada a aerar. Meu corpo é feito de passados; me revezo em espaços e tempos — mas, em maioria deles, estou aqui.

# SATÉLITE TERRA FOGO

Esta noite eu olhei o céu com o firme do olho: meio pedaço de lua. É nessa fase crescente que surgem ramos-luz, que nascem os começos e irrompem certos os impulsos. É no crescente da lua que vibram os portos, que se abrem em novidade as pálpebras e emergem sutis trepadeiras na parte de trás da cabeça: bem ali, logo antes da plenitude, antes-quase da fase cheia completa da lua, época redonda quando se completam em menos dúvida e mais acerto os casos de reconhecimento.

O calendário lunar do ano passado diz que no dia em que nos reconhecemos crescia a lua. E era frente àquele meio pedaço que reluziam silenciosos nossos globos oculares em faísca de interesse. A fase antes-quase da fase cheia completa da lua é também o instante quando emergem os antes — e foi ali ano passado que esperaram, iniciais nossos antes, um movimento tanto menor do que, imaginávamos, seríamos capazes de alcançar. Com esses vácuos expectantes, os antes, vieram desde lá crescidos também em ânsia seus receios pelo depois (e eu não diria e ainda não digo mas será ele, o depois, a menor das nossas surpreendências).

Foi a madrugada nossa primeira casa; e a praça, local primário de cenário-comum, reduto base para o que seria: comum. O furto, nosso primeiro encontro de corpos; e os corpos, os mais primários expositores de nossos mecanismos preestabelecidos; nossa metralhadora de automatismos: sempre em modo de defesa. Naqueles meses-prelúdio, a cada lua crescente quebrava em grão uma dessas pedras-barro, tijolo baiano, grude de língua, revestimentos paulistanos meus. Tornavam-se grãos dia a mais mais finos, espaçando entre os órgãos de defesa a possibilidade de entrada de um grande e honesto (ainda sem percepção do tamanho de sua honestidade, porém já muito honesto e talvez por isso grande na sua percepção do que pode ser grande) o quê.

Eram antecipadas nossas travas, mas curiosos nossos incômodos, advindos da percepção. Perceptivas, sim, como os uivos; e absorventes de vida como raízes em terra molhada, aguardando os quentes, sugerindo a seiva. Perceptivas absorventes aspirantes: tais como bicho surpreso em sua fase primeira; e tais como meio pedaço de lua em sua fase crescente. Existiu ela, a lua, fosca no céu do ano passado como existe também hoje, fosca em metade, ela, a lua. E me segreda hoje em noite tácita o maior dos seus mistérios (que é também e na verdade o maior dos segredos da humanidade): enquanto crescem sutis as trepadeiras nas nucas de expectantes defensivos como os que fomos — e somos, e seremos até a curva-estalo do não —, me abraça ela, a lua, a nuca, em arrepio de relva fresca, e me segreda baixinho e simples, humilde e simples, o segredo-descoberta da humanidade — o maior de todos os que absorvi ao lado seu assim nos nossos momentos últimos:

amor

não

dói.

# RETORNO DE UM PLANETA AINDA NÃO DATILOGRAFADO

Porque era inverno em Belém dizia-se em toda esquina que as temperaturas estavam baixas, baixinhas tipo córrego logo cedo, antes de encher a maré, que em verdade era de rio, e muito antes das chuvas que quedariam à tarde — e era todo dia. O inverno úmido do Pará acontece equiparado no tempo do verão seco paulistano, quando o quente é ao contrário: em vez de libertar, imobiliza, e as ruas são todas poeira, buzina, fumaça abafada engolindo os corpos que correm sem lugar. Em uma manhã de inverno paraense eu acordei a 26 graus na esperança de me elevar, de entrar nas águas amazônicas e ter então uma ideia — mais, eu queria uma sensação: sim, boiar nas águas do rio do lado de lá e quem sabe afogar no dentro as tortices, as coisas vagas que me apertam quando ando seca entre as ruelas da Santa Cecília, quando ando toda espinhos, em defesa. No Pará há o enlaço permissivo entre as garças e os urubus. Nessa manhã eu caminhei até o píer, ao lado do mercado de peixes, onde chegam pelo rio as embarcações e onde os comerciantes jogam aos bichos as carcaças. Há assim essa contradição entre o que parece limpo e o que se assume sujo. Tudo em Belém parece um retrato antigo, coisa que só em outro lugar mesmo, só: tudo é pintura e cheiro, cupuaçu e bacuri, filhote e pirarucu, maniçoba e tacacá. De lá passeei pelo mercado das carnes, inteiro de ferro, subi ali até a ponte e abracei meu nada. No inverno paraense é ainda calor num tanto pra se aguentar ficar abraçado. É preciso correr dali. Há nos caminhos os vácuos e as vielas, e o auge da arquitetura antiga da cidade está nos casarões abandonados, nos tijolos e nas telas nas janelas enormes de madeira, coloridas, o musgo subindo pelas pedras e criando um cenário um tanto ultrapassado, um pouco melancólico, bastante fotografável, um fim torpe de carnaval, mais ou menos como o que me machucava as paredes do útero quando eu lembrava: um buraco, uma tristezinha assim agulha fina, assim picada numa ponta de corpo, angústia raspando as veias por dentro: quase imperceptível, mas muito contrária. Em Belém me ancorava uma nostalgia e também um medo enorme do futuro que estava por vir. Era vinte e nove de dezembro, um dia antes de mais um aniversário não comemorado do meu pai, e uma briga a mais com Beatriz dois dias antes do novo ano: hoje sem sexo, hoje sem beijo, hoje sem a cerveja de taperebá que a gente combinou de experimentar, hoje aquela dor incômoda, sem ar fresco amenizando o suor — o lençol dividido em lados da cama, o lençol amassado, bastante separado, quase esgarçado, o lençol: nossa fronteira íntima de dispersão. Nessa manhã eu acordei e me acolhiam os mesmos abraços: o vazio e o lençol. Eu me levantei ainda tonta e fui ao píer e ao mercado de ferro e ao Ver-o-peso e às docas e olhei o rio, olhei longe os barcos e as ilhas distantes pelo rio, sentei num banco diante do rio, mergulhei nos olhos o marrom do rio e torci para que chovesse depressa.

# ENTRE UM TORSO E OUTRO TORSO HÁ TODO UM ESPAÇO

é verdade que criamos nossa própria realidade, sim, porque vez toda que começo a escrever de repente estou no dentro do que logo-antes achava ser suposição. ontem, quando era inverno no logo-abaixo da linha do Equador, me perguntei por que sentimos as escritoras esse dever de expor detalhadamente a verdade dos doídos do fundo; uma curiosa anedota do mundo, as minúcias das rugas de um rosto quase-velho, o caminho que a saliva faz do céu da boca até o oco do esôfago e como responde a respiração, doente, sensível, movediça quase como se tivesse também tido e perdido um coração. me perguntei também, ainda antes de começar a supor (mas sem falar, sempre sem expor), qual é a curva exata entre um torso e outro torso, após alguns meses anos de intimidade, quando se fazem permissivas as invasões aos colos, os apontes aos ritmos desregulados, as ideias do que é ou não é verdade e do que é e não é mentira e também e muito as invenções, as projeções frustradas e jogadas tipo cuspe assim rasgante que cai do canto de uma boca em direção a um olho, outro, que não tarde já escorre, e também os dedos, todos eles, e risadinhas e jeitos de olhar (que lembram até dos que balançavam dentro quando era início, mas hoje estão os relógios assim invertidos e o depois que antes era só ruído de vento entre as janelas semiabertas é agora irônico no sorriso, e desviante, e fechado em cílios), e até as trocas de palavras, essas sim tão medidas em linha fina, tão apropriadas às agulhas de quem escreve, essas sim: as mais cruéis das criações quando estamos no depois e se invisibiliza a linha que separa o que é meu e o que é da outra e o que é de mulheres e o que é reprodução; o que é então herança e o que é passível de mudança e o que é gerador de traumas que virão, e também o que é loucura, ilusão; o que pensei quando era ontem e eu ainda não tinha nem escrito nem exposto nada com medo, sim, da realidade em iminência, foi que tentar achar e segurar e se agarrar a essa linha quase imperceptível, quase assim Equador, quase assim inverno paraense, quase coração de garganta quando incômoda, é uma tarefa quase trabalho; um pesar cansado, um objetivo fosco, não exatamente claro das intenções. há de se criar a realidade das coisas, as canaletas dos caminhos; não há outra possibilidade que não a de agora-e-frente, a de desaguar dia e depois outro dia, e é por isso que seleciono as palavras quando me exponho para outra mulher, que, por ser também mulher, seleciona as palavras. falhamos sempre e é por isso que não escrevo sobre o meu querer meio não querendo achar esta linha e, abraçando-a em meu corpo dizer: basta. não nos invadamos mais, e não nos desrespeitemos, assim; não reproduzamos o tudo tanto que repudiamos nas cenas, nas ruas, nos palcos e também e é claro nas famílias, nas sanguinidades, ai, ay, olha: haja constelação. não escrevo nunca sobre encontrar ou não o limite da espessura da linha porque sei, sabemos: quando se cruza assim uma demarcação tão sensível, sereno-invisível, estamos já em um outro lugar. e eu, ainda toda posses, ainda reprodutora, ainda toda medos, ainda entregue, ainda cobrante, não consigo segurar sua mão com a minha mão e dizer: livres. não consigo abrir na palma da minha mão a sua mão e dizer: leves. não consigo, o seu dedo na minha garganta, os meus dentes no seu pescoço, nossa jugular-coração tensionada, pulsantes nossas veias em desilusão, ser A Responsável. e nem você, e nem você. eu sei, carinho; sabemos.

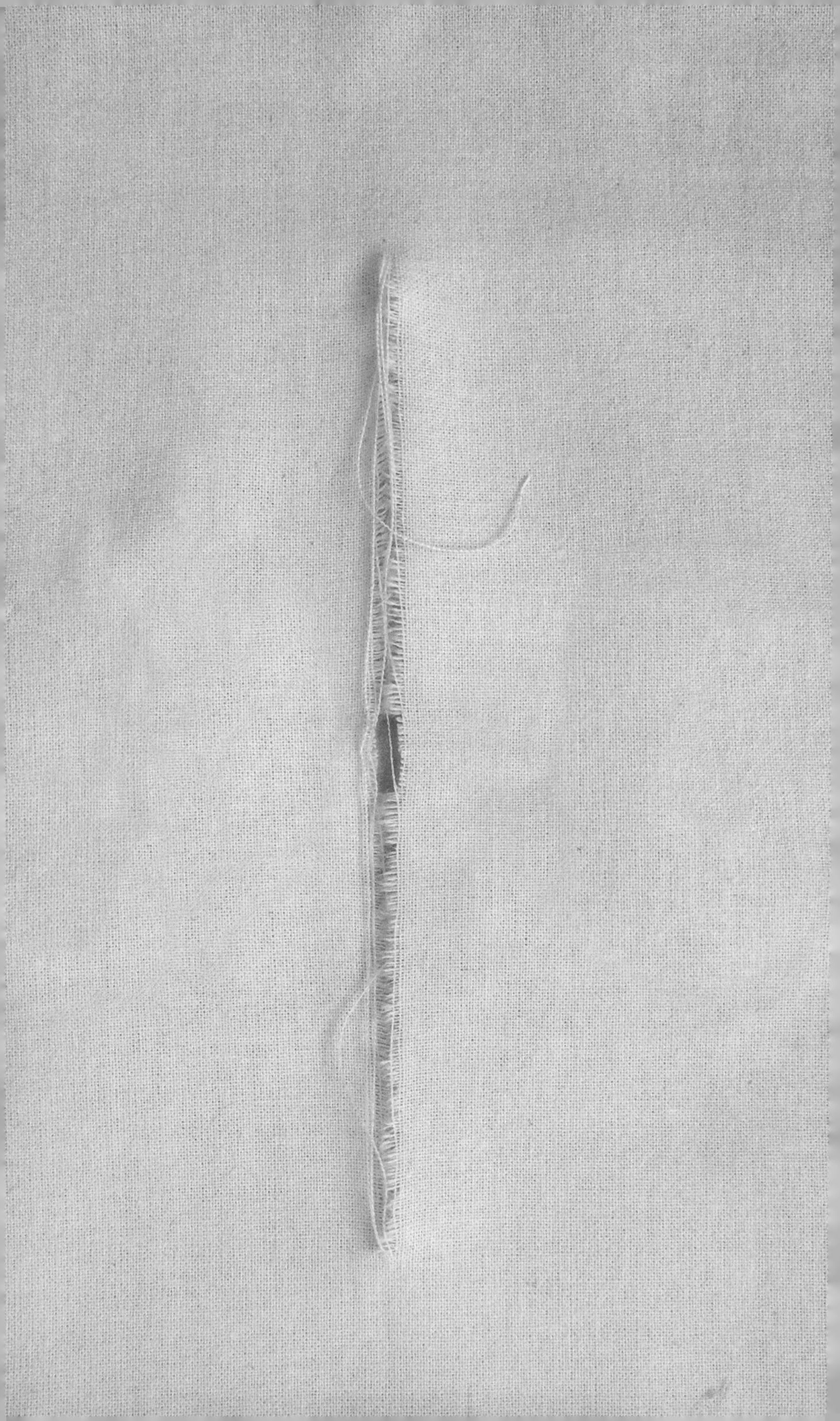

# ABORTO

O meu parto serão estas palavras. Mato-as aqui, tiradas à força, porque meus braços não te alcançam. Fosse bicho, eu te paria nos dentes. Mas sou antes mulher: invadida por seus anseios, ansiosa por sua invasão. Caso alcançassem, meus braços, a distância (ou: a sua veia mais grossa), não resistiriam a acolher seu tronco. Duro, viril, longe (não mais: meu). Quase agradeço ao lado de lá da mesa, ao voo que te levou também no físico, ao onde em que hoje você preferiu estar: uma galáxia em que os jardins não são regados pelo quente de minhas mãos. Onde as plantas não crescem em vigor, verdes como as trepadeiras que eu alimentei (com um amor parecido com o que os gatos têm pela noite), envoltas nas paredes da casa que era minha, e nossa, mas que em verdade nunca foi erguida.

Peço à lua que não me conte em qual parte do planeta você está. Peço que evapore seus cheiros, que escorra limpos seus fluidos, que arranque os poros meus soterrados pelos restos de pele sua que ficaram grudados. Eu lembro o seu olho bem mole, o olho brando que possibilitou a sua entrada — que de branda nada teve, a sua entrada invasiva e seca, áspera e pontual, chocando nossos corpos em comunhão, tipo hóstia e vinho, tipo pele e sangue, tipo morte e vida.

O seu suor me molhava inteira química, poção mágica, caldeirão fervente, cura pro câncer. Você me encharcava as pernas. As palavras escorriam delas, ásperas, aguadas rubras viscosas de vida, vida, vida minha que você matou e eu consenti. Pingam dos meus dedos gotas amorfas: sangue suor gozo matéria, limpas em panos de seda, de acordo com o que dita a lua. "O meu amanhecer vai ser de noite", diz Manoel. Respiro algum restará. Lá fora, escuros todos os planetas que você ocupa, longes daqui. Se acende bem no dentro de mim um clarão: eu. Tecida em dor, broto verde, relva renascida. Como as plantas que treparam em volta da casa. Como as células que se regeneram de sete em sete anos. Escorre entre minhas pernas a sua morte e a minha seiva. Me refaço, raiz de mim.

# ME ATRAVESSAM OS BARES E O ASSOMBRO DAS INVENÇÕES

Não me entrego mais às observações sobre mim, eu supus, enquanto relembrava o ano em que estive mais íntima dos pesadelos da solidão. Acordava sem despertadores. Passava três dias sem conversar. Lia *A desumanização*, do Valter Hugo Mãe e, caminhando por cinquenta minutos à esquerda da costa do rio, começava a digerir o luto da morte do meu pai. Sempre antes de enormes mudanças estão as valas e os abismos de uma inércia, por ausência de compreensão. Perdem-se as nomenclaturas, os vocábulos, as palavras de onde se esperam os sentidos de ser. Quando em países outros, perde-se antes a língua, a válvula mais principiante, o peito-início da exposição. Perde-se a socialização, a profundidade, o questionar em dupla, em grupo, em troca, e a fuga de si. É quando se faz imponente a necessidade do mergulho. E é sempre uma dor pontiaguda e apática, um esburacamento indesviável, o olho no olho entre corpo e trator, precedente aos recomeços. Percebo, ano a ano, a minha aproximação tímida pela beleza desses mesmos fins; e a autorização que dou ao medo: existir somente até o limite – que, aprendi, posso escolher. Eu havia decidido que a terceira parte do meu livro seria sobre decadência, mas não fosse pela leitura de Marina, pelos meus tratamentos contínuos de amolecer a garganta, pelo reatar lento e semanal com a minha mãe e por compreender os bancos de areia como delimitações, eu não me atentaria à alusão da palavra decadência aos términos. A minha psicóloga, lacaniana, provavelmente admiraria essa conexão que antes de ilógica é um reflexo exposto, comprometedor; eu sei, ela sorriria. E tem esse sorriso me aliviado – ainda nos contratos que assino internos sobre legitimação dos outros sobre mim – por me lembrar de acreditar que chegou, sim, o momento em que eu abraço as pedras. Os fins de ciclos sempre me soaram como a iminência certa de um vazio; uma mensagem por si negativa; a concretização de uma falha; o oco oposto ao Dar Certo, escancarado. Se me ausenta o prazer da entrega, os pedaços que são meus e que desvendo em transformação, são antes as não-partes necessárias. Entortar o olhar. Adentrar o feio. Aceitar os músculos contritos de mim.

# O ÚLTIMO TEXTO QUE ESCREVI PARA MARIA
## parte final

Me acalmaria contar-te, Maria, sobre alguns dos dias recentes; na pequenez que me irradia de dentro do útero para o mundo-girassol, em pétala aberta. Quando me sinto assim pura, meio média, consigo observar pedaços de terra em decomposição, pedaços de vida, o composto universo-papelão em ambivalência, bobagens soltas de base-existência que até então não me ocorreriam. Me senti indivíduo-só no quando em que o caminho permanecia contrário — você lembra? —, e eu girava em peito--ebulição. Me acalmaria ter contado também naqueles meses-rascunho. Era por sobre eles que eu estancava em leito, sucção fria acobertada pelo leite-tempo. Me escorria vivo aquele *chronos* quando você ainda me estruturava os sonhos em lama movediça. Espremeção tanta que sangrava indelével. Não menosprezo, Maria, que a terra quente dos açudes me absorveu nutriente fundo de mim. E em constatação, no todo do cosmos, nos vi sós — assim, individuais (entende quando digo que vi?). No cantinho do quarto dos fundos, na sobriedade abaixo do ventilador de teto-poeira, na realidade crua de dentro de casa: eu vi. Do barro brotaram e brotam restos-luz, renovados em flor ainda tenra ao chão do meu quintal. Eu vejo da fresta da janela, quando esfria madrugada e há outro corpo-carinho que esquenta o meu. Em eterna roda eu giro, como giramos todos, soltos ponta-cabeça, conforme o que dita o sol, e sóis, são-somos tantos. Nos dias recentes me acalmaria contar-te que me fiz casa, Maria. E não senti a falta sua.

**ninguém vai lembrar de mim
e eu ainda me importo**

eu tenho um pedido. às dezenove horas, vinte e seis minutos e doze segundos de todas as noites que eu passar fora de São Paulo eu quero que vocês me esqueçam. será certamente mais fácil quando estivermos distantes alguns quilômetros. dezenove é o número que beira o fim, mas um passo antes. o momento único em que pensamos: vamos desviar. é um pouco após a trilha do meio, e também o primeiro dia que eu guardei. é o pré-final de mês, o segundo semestre, a entrada na faculdade, a mudança de cidade, um livro sendo escrito. dezenove de agosto, vinte e seis de setembro, doze de outubro: três colisões. amanhã não existimos, combinamos.

a primeira foi à tarde.
Jabaquara, uma gritaria ali de praia, praia, Santos São Vicente Litoral, e era todo dia, mas aquela tarde. mosquito algum caminhando na janela, a mesma panela da outra quinta na geladeira, o vulto da menina transpassando o portão de ferro e o sonho que eu tive com você logo depois de falarmos sobre masturbação. eu te ligaria no telefone fixo da sua casa por duas horas todos os dias só para te ouvir falar sobre escrever uma carta no future.me e a sua obsessão por pessoas verdes. "você tem um saco de pão pra eu enfiar a minha cara?", você disse, e foi embora. eu deitei no sofá e senti a maior alegria que eu já tinha sentido na vida. era forte assim que eu chorei de culpa aos quinze anos.

*a segunda foi de manhã.*
e eu não diria que a manhã seria ainda o meu momento preferido do dia, mesmo depois. Tatuapé, quinze minutos andando do metrô até a praça, nossas apresentações tímidas de teatro, as massagens nas pernas e os onze anos diferenciando o gosto nas nossas línguas. no lugar da sua buldogue, do prédio com varanda, oito anos de casamento, uns trinta mil de renda e os jantares no Ritz, eu, estagiária de mil e olhe lá e pós-adolescente que morava com a mãe, queria ser escolhida por você. você me disse que aos trinta ganhou um botão de foda-se, e eu, aos dezenove ou vinte e três, não acreditei. hoje você deve estar em alguma parte do universo que não tem acesso aos restaurantes que eu escolho e à decoração da minha casa. hoje falta um ano pra eu chegar à idade quando você disse que eu seria mais bonita.

*a terceira foi à noite.*
e era o terceiro roubo de celular em poucos meses. dessa vez, levaram a bolsa inteira: aluguel sacado, o blazer da Camila, uma carteira que eu comprei lá fora, os documentos todos e um caderno onde jaziam as minhas mais recentes lembranças. Praça Roosevelt, centro de São Paulo: o mesmo que viria a ser nossa casa por pelo menos um ano. eu tinha certeza que seria nossa única noite essa em que, sem minhas chaves, te esperei ensonada e bêbada até as sete da manhã para ser abrigada pela primeira vez. o dia seguinte era sábado e eu não só percebi as músicas que tocavam, o seu olho claro de susto e o sol incidente na janela da Joaquim Eugênio quando eram treze e depois dezessete e repente onze da noite outra vez. não saí mais do seu abraço.

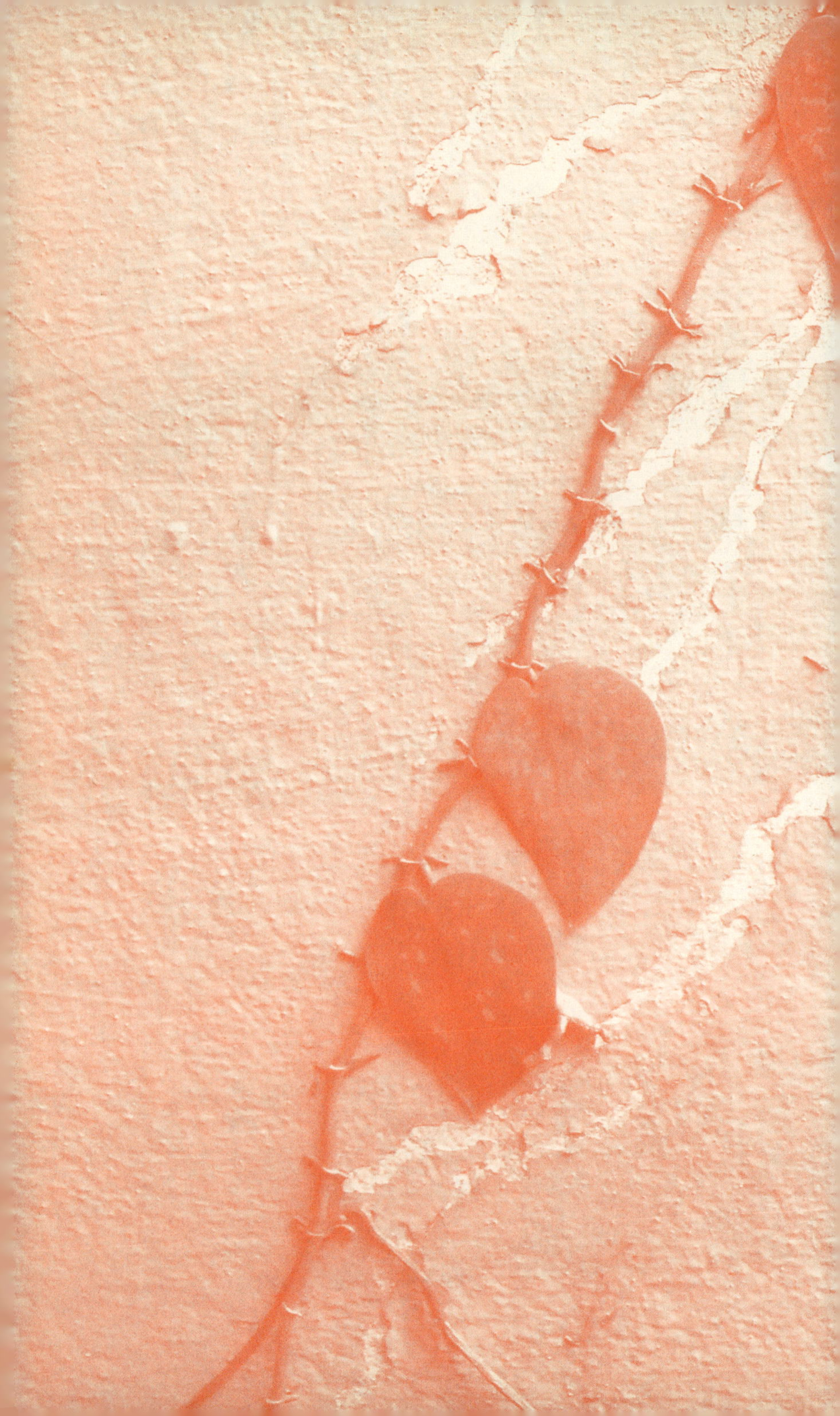

epílogo

# O QUE HÁ DE PIOR EM ME MOSTRAR ENQUANTO EU

Eu manifesto por me esconder de tudo que me soa ameaçador. Manifesto por criar monstros que aumentam a minha insegurança. Manifesto por discursar contra os homens, mas reproduzi-los, me contradizendo. Manifesto por perder a minha palavra. Por mentir. Por omitir. Por ter consciência de estar errada e procurar a fagulha falsa de um certo inventado para me fortalecer. Manifesto pela segurança de que o meu ego permaneça exatamente onde ele está. E pela culpa, culpa, culpa, culpa inteira minha por ser sempre abandonada. Manifesto pelo medo de me sentir abandonada. E pela raiz de todas as minhas sensações de não pertencimento e não aceitação. Manifesto pela vergonha de me expor ao ridículo. Manifesto pelo medo de me perder, fora de qualquer autocontrole. Manifesto pelas minhas lembranças, que me enlouquecem, e pela minha falta de memória, que me faz refém das histórias.

Você consegue suportar a sinceridade máxima de ser quem se é?

Eu, não.

Eu fujo.

O pior de mim grita em formatos diferentes: na necessidade de agradar; no interesse pelo que vem do ego; em manias de perseguição; em vulnerabilidade e dependência; no quando eu perco o controle; e no medo da imperfeição. Ele grita comigo, grita assim: Você me odeia. E eu grito, grito de volta: Eu te odeio. Existimos frágeis, impermanentes. Corremos para longe, para as distâncias, vangloriando as ausências. É hóstia empurrada à força. É furúnculo que não estanca. Monstros crescidos que, em sobriedade, não aceitamos.

Há anos eu olho bem no fundo do olho da pior parte de mim e não consigo sustentar o olhar.

Manifestemos, portanto, a necessidade de nos sentirmos menos. E manifestemos, sim, a possibilidade de nos enganarmos. Manifestemos, ainda, a vontade de estarmos errados. E de nos rasgarmos, nos autodestruirmos, nos sabotarmos, nos precipitarmos e gritarmos, berrarmos, cuspirmos, escandalizarmos todas as nossas crenças mimadas, carentes, vergonhosas, inconsequentes. Que seja possível errar e gostar de estar do outro lado. Que seja permissível preferir a lama ao troféu. Que as discussões terminem sem conclusões assertivas, sem banho quente, sem abraço antes de dormir. Que lidemos com o prazer de não termos razão. E que possamos acolher as falhas que nos estruturam enquanto matéria, ego, carne barata, espírito raso, superfície, febre e dores: respirando humanidade.

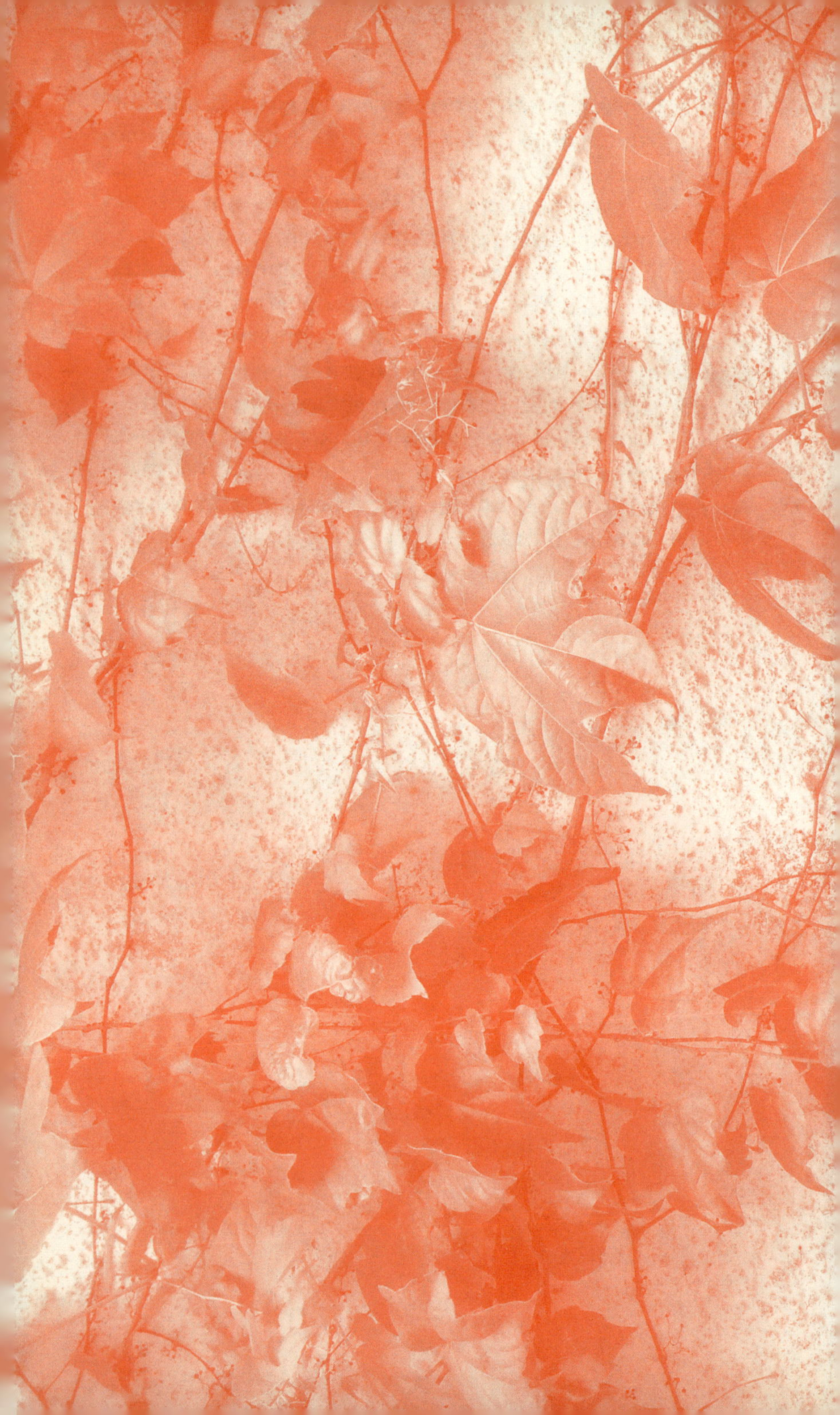

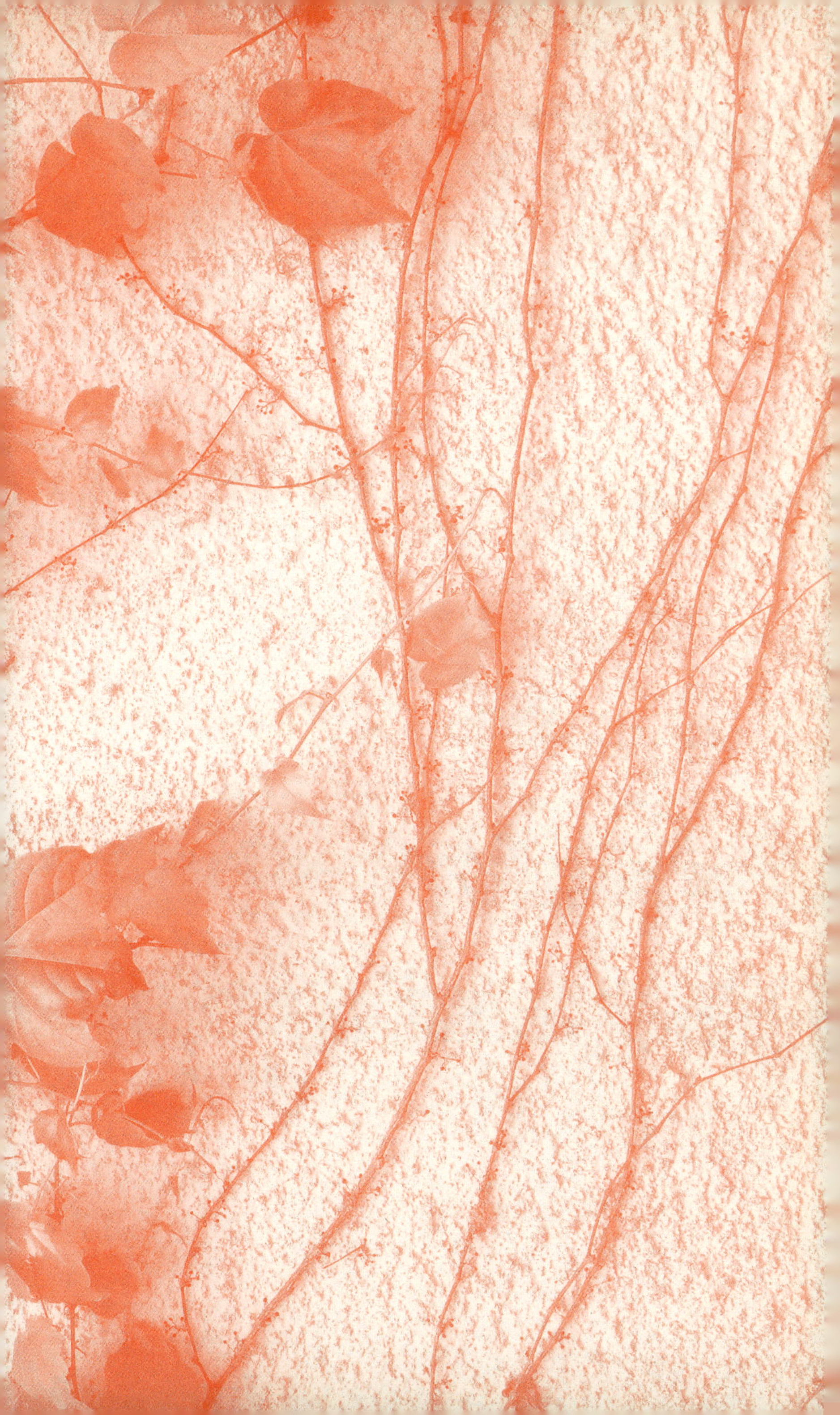

ou:
epílogo

**EU NUNCA VI
A CARA DE DEUS,
MAS NÃO
ESTRANHO**

Aprendi ontem a controlar a respiração. Perdi já estradas e mergulhos muitos pela ausência de ar. O conhecimento nos eleva, me disse há seis anos uma voz, na época mesma em que, contraditória, eu chacoalhava a cabeça quando era noite, tentando desver o mundo. Absorver as realidades é, antes de intuitivo, cruel. Eu quis discordar do que ouvi, mas soube no exato tempo o poder das opiniões externas sobre a minha intuição — que acaba sempre por se quedar, calada e subalterna. Quis conhecer deus para me livrar da culpa de existir em seu mundo. Me lembrei, puxando o ar: deus — mais uma vez uma camada densa de nuvem. deus: o aposto daquilo que não sei, o buraco bem no meio do retrato, uma aposta, a moldura somente. deus, eu pensei: uma lasca de tronco e a floresta toda inteira, os monstros e vermes inerentes; a imagem estampada no verso da nota de um real; as mensagens ocultas nas xícaras de café, a fé, sim, dos que temem, e a mentira dos ricos; deus: o berço dos mortos e a saudade minha e o meu pai; o espaço-tempo, a espuma lambendo os pés da menina e a maior decepção da mulher adulta; a sorte do privilégio, a certeza cambaleante do tudo, igual precisa à certeza cambaleante do nada; o problema genético, o nascimento dos figos, a Verdade Universal do corpo e o oposto do que faz queimar; o fim do conhecimento que nos eleva, o elevar-se, enfim; a matemática sólida e inalcançável, o som do silêncio, o calor das pedras, o egoísmo da paixão, a descoberta do não, o arrepio no meu braço e no seu braço, o cheiros das nossas peles, nossas retinas em descoberta e o fim das ideologias, em frustração: deus, o tamanho do mundo — a consciência universal que fundou e acompanha o mundo — as cartas pós-morte, as realidades paralelas, as paredes desmoronadas, as casas arrastadas pela lama; a minha lama e a sua lama: a lama dos humanos é deus, sim; e a nossa pretensão de não ser bicho, e os trinta e sete minutos entre a cama e o teto e a diferença feliz que separa o domingo da segunda-feira, a luz que invade cada ombro quando é fim de tarde e o controle inexato da respiração.

Ontem eu desvi o mundo de acordo com o que me ensinou deus: respirar; e meu corpo se lembrou: existo. Foi quando corri, sem pressa mas um tanto aflita, buscando encontrar enquanto ainda entrava o ar, o corpo em contração, a energia vital que me pudesse satisfazer Uma Grande Enorme Imensa sede-necessidade, um direito desesperado de continuar existindo diante do tanto, absorvido todos os dias.

Vibram as cordas que ligam cada pedaço do meu corpo, enquanto corro. Já não estou mais no princípio. Sinto minhas costelas. As tardes anoitecem mais demoradas. Sinto o meio cirúrgico do meu colo, espaçando. Ainda há tempo de ser manhã. Minhas coxas: elásticas. Minha panturrilha desesperada. Meu rosto quente — mais do que quando com raiva; vermelhossangue. Minha pele se desfazendo em água, como quando choro e escorrem meus suores cansados, minhas lágrimas-navalha. Meu corpo dança em desespero e eu respiro, pelo nariz — eu aprendi —, respiro, enquanto o corpo todo extremo, todo prestes a sucumbir, cresce em exaustão. Solto o ar pela boca — aprendi —, e penso: deus, o meu corpo já não aguenta — e então suspiro, aprendi, não penso — e não pensar, deus, é finalmente a maior bênção que recebo sua. Eu respiro e existo com o corpo em desespero maior que o da minha mente, e então é aí, e só aí, que compreendo: desvejo o mundo. Despenso deus. Inspiro e expiro: sinto, apenas. Deixo de pensar, abdico da mente, exponho em aflição meus pulmões, esgarço minha pele, acordo as articulações, formigo meu sangue, ativo as veias, desperto os músculos e me lembro que sou: deus. Não penso: sinto.

## AGRADECIMENTOS

*Ninguém vai lembrar de mim* é um livro produzido por mulheres, sendo 80% delas lésbicas, bissexuais ou pansexuais: da seleção ao planejamento à produção à editoração à capa à diagramação à divulgação.
Agradeço pelo presente que é tê-las por perto.
Agradeço à Jarid Arraes por abraçar o meu trabalho com carinho e precisão.
Agradeço à minha avó e à minha mãe pela ancestralidade independente.
E agradeço às mulheres registradas nesses escritos, por tudo o que nos acrescentamos.

Copyright © 2019 Gabriela Soutello

Todos os direitos reservados à Ferina, um selo da Pólen Livros, e protegidos pela Lei 9.610, de 19.2.1998.
É proibida a reprodução total ou parcial sem a expressa anuência da editora.

Este livro foi revisado segundo o Novo Acordo Ortográfico da Língua Portuguesa.

**Curadora do Selo Ferina**
Jarid Arraes

**Edição e preparação de texto**
Jarid Arraes

**Revisão**
Lindsay Viola
equipe Pólen Livros

**Fotografias**
Débora Lopes Serralheiro
Raísa Benito (págs. 12, 34, 40 e 70)

**Capa, projeto gráfico e diagramação**
Débora Lopes Serralheiro

Dados Internacionais de Catalogação na Publicação (CIP)
Angélica Ilacqua CRB-8/7057

---

Soutello, Gabriela
   Ninguém vai lembrar de mim / Gabriela Soutello. -- São Paulo : Pólen, 2019.
   104 p.

ISBN 978-85-98349-83-1

1. Crônicas brasileiras I. Título

19-1103                                                   CDD B869.8

---

Índices para catálogo sistemático: 1. Crônicas brasileiras

Este livro foi composto nas fontes tipográficas Kefa e Goudy Old Style para o selo Ferina da Pólen Livros